KB123356

글쓰기와 중국어문학 연구의 주체성

Aspects of the Chinese Language and Literature in Korea

조관희 지음

보고사

책머리에

이 땅에 중국문학 연구가 자리 잡은 것은 긴 식민 치하를 보내고 나서도 한참이 지난 뒤인 1980년대라 할 수 있다. 그 사이에 무슨 중국문학 연구라 부를 만한 것이 전혀 없다고는 할 수 없었지만, 연구자들의 역량이나 그들이 내놓은 연구물의 수준은 논할 가치가 전혀 없는 것이 대부분이었다. 그래서 1970년대에 대학에 들어와 1980년대에 본격적으로 활동을 펼쳐나갔던 새로운 세대의 연구자들의 등장과 함께 이 땅의 중국문학 연구가 본격적으로 시작되었다고 말하는 것이다. 그 무리 가운데 하나인 필자도 이제 지천명의 나이를 지났다. 그 동안 되는 대로 써 내려간 글들이 제법 모였는데, 돌아보매 애초의 포부와 자신감에는 한참 미치지 못해 그저 얼굴이 화끈거릴 따름이다. 그럼에도 몇몇 글들은 그런 대로 심심파적거리라도 될 만하고 지금도 그 나름의 시의성이 있다고 생각되어 한데 모아보았다.

이 책에 실린 글들은 크게 '글 쓰기' 문제에 대한 필자의 평소 생각과 잊어먹을 만하면 나타나는 '인문학의 위기'에 대한 필자 나름의 소회에 더해 '중국어 교육'과 '중국어의 한글 표기' 문제 등에 깔려 있는 '학문의 주체성' 문제 등으로 나눌 수 있다.

글을 쓴다는 것은 필경 중국문학 연구자이기에 앞서 인간에 대한 근원적인 탐구를 그 본령으로 하는 인문학자로서 갖추어야 할 우선적인 소양이자 소임이라 할 수 있다. 언필칭 '글 쓰기'는 '공부하는 이'가 세상에 자신의 생각을 펼쳐 보이는 유일한 소통 도구이자 그 무엇과도 비길 수 없는 강력한 힘을 가진 일종의 무기라 할 수 있다. 그래서 그 옛날 중국문학 비평의 개조(開祖)로 추앙 받고 있는 차오피(曹丕, 조비)는 "무릇 문장은 나라를 다스리는 큰 사업이요, 썩어 없어지지 않을 성대한 일(蓋文章經國之大業. 不朽之盛事)"이라고까지 말했던 것이다. 물론 요즘에야 '글 쓰기'가 그렇게까지 큰 힘을 발휘한다고 말할 수 없을 것이나, 그래도 한 시대를 풍미하고 '낙양의 지가를 올린' 글들이 전혀 없다고는 말할 수 없을 것이니 아마도 '글 쓰기'는 인류의 문명이 지속되는 한 그 가치와 영향력을 잃지 않을 것이다. 그러나 이와 동시에 '글 쓰기'는 현실 권력과 결탁하거나 일개인의 영달을 위한 수단으로 전락해 그 본연의 모습을 잃고 타락하는 경우도 많았다. 모든 것은 상대적인 것이다. 장점이 있으면 단점도 있을 것이요, 긍정적인 측면이 있으면 부정적인 측면도 있을진대, 유독 '글 쓰기'만이 절대선으로 남아 있을 수는 없는 법이다. 결국 글을 쓴다는 것은 '글 쓰기'의 주체에 달린 문제라 할 수 있다. 글을 쓰는 사람의 인품과 취향, 그리고 궁극적으로는 그가 처한 시대적 환경과 그에 대처하는 마음가짐에 따라 그 결과물이 얼마든지 달라질 수 있는 것이다.

글을 쓰는 문제와 더불어 우리에게 필요한 것은 학문의 '주체성' 문제다. 이것은 어느 학문 분야나 피할 수 없는 과제라 할 수 있는 바, 식민 시대를 거친 우리의 현대사에서 가장 중요한 화두 가운데 하나라 할 수 있다. 그런데 이 문제는 중국문학의 경우 상황이 조금 더 복잡해진다. 굴곡진 현대사뿐 아니라 근대 이전에 중국이라는 거

대한 제국의 문화적 영향권 아래 있었던 우리의 선조들은 소중화의식에 젖어 그들의 문화를 우리 것인 양 받아들였던 것이다. 그들은 중국의 선진 문명에 압도된 나머지 피아를 구분하는 인지 능력을 상실하고 자기 자신을 중화 문명의 충실한 추종자로 자리매김했다. 그러한 인식은 의외로 뿌리깊은 데가 있어 21세기에 접어들어서도 요지부동인 채로 학계 전반을 지배하고 있다. 필자는 한국에서 이루어지고 있는 중국어 교육에 대한 제안과 중국어 한글 표기법이 안고 있는 근본적인 문제 제기를 통해 우리 학문의 주체성에 대한 생각을 거칠게 펼쳐 보였다.

참고로 이 책에 실린 글들은 이미 몇몇 학술지에 발표한 것들이다. 각각의 출처에 대해서는 글의 말미에 밝혀두었거니와 이와 별도로 몇 편의 글은 각각의 성격에 맞는 독립된 단행본에 부록이나 보론 격의 문장으로 전재된 바 있다.

인문학 연구에서의 '글 쓰기'의 문제(『훈글로 논문작성하기』, 소명출판, 2005.)
학술 논문 글 쓰기에 대한 반성과 모색(『훈글로 논문작성하기』, 소명출판, 2005.)
한국의 중국어 교육에 대한 반성적 고찰-'실용 중국어'에서 '문화 중국어'로[『중국어 교육의 이론과 실제』(공저), 차이나하우스, 2011]

공부에 끝이 있을 수 없다. 다만 앞만 보고 달려가다 가끔 가쁜 숨 몰아쉬며 걸어온 길을 되돌아보는 일 또한 무익한 것은 아니라는 생각이 들 때가 있다. 부족하면 부족한 대로 넘치면 넘치는 대로 깜냥껏 자신이 해 온 일들을 돌아보며 앞으로 가야 할 길을 가늠한 뒤에야 새로운 일을 모색할 수 있지 않을까 하는 생각에 되지 않는 글이나마 엮어 세상 사람들에게 내보이는 만용을 부려본다. 부디 많은 이들의 애정 어린 격려와 따끔한 질책이 이어지기를 바란다.

2014년 봄

조관희 삼가 적다

차례

인문학 연구에서의 ‘글 쓰기’의 문제

1.

사람이 자신의 생각을 표출하는 방법은 여러 가지가 있을 수 있으나[1], 조음 기관을 통해 만들어진 공기의 울림으로 전달하는 ‘말’과 문자로 표출하는 ‘글’이 대표적이다. 하지만 말을 하는 것과 달리 글을 쓴다는 것은 그리 만만한 일이 아니다. 청산유수로 말을 퍼부어 대는 웅변가도 편지글 한 줄을 쓰기 위해 날밤을 새울 수도 있기 때문이다. 이런 기억은 누구나 갖고 있게 마련이다. 오죽하면 글 쓰기의 어려움을 자신의 뼈를 깎아 펜을 만들어 자신의 피를 찍어 써내려 가는 것으로 비유하기까지 했겠는가. 약간 그로테스크한 느낌이 없지는 않으나, 그런 대로 글 쓰기의 고심참담을 직절하게 표현해 내기에 부족함이 없는 말이라 할 수 있다. 여기에 갑술본(甲戌本) 『홍루몽(紅樓夢)』 권수(卷首)에서의 “보매 한 글자 한 글자마다 모두 피인지라, 십

1) 언어학에서는 넓은 의미의 ‘말language’과 좁은 의미의 ‘말’을 구별하는 경향이 있다. 넓은 의미의 말이라 함은 각자의 생각을 표출할 수 있는 모든 방법들, 곧 음성을 통한 말뿐만 아니라 수기(手旗), 모르스 부호, 이것을 응용한 야간에 배와 배 사이에 의사 전달을 위해 불빛을 깜박이는 것, 또는 바디 랭귀지body language까지가 모두 넓은 의미에서의 말에 속한다. 반면에 좁의 의미에서의 말은 사람의 조음기관을 통해 발화된 것만을 가리킨다. 혹은 이것을 ‘말language’과 ‘언어학linguistics’으로 구분하기도 한다.

년의 신고가 심상하지 않더라(字字看來皆是血, 十年辛苦不尋常)"[2]는 말은 앞서의 말에 대한 동공이곡(同工異曲)인 격이라 하겠다.

돌이켜 보면 짧은 시간 사이에 글 쓰기의 도구도 많은 변화를 겪어 왔는데, 그러한 변화는 시간이 갈수록 라이프 사이클이 짧아지는 경향이 있다. 손으로 공들여 원고지를 메꾸어 나가던 시절에 타자기는 글 쓰기의 색다른 경지를 맛보게 해주었다. 타닥거리는 기계 음에 또박또박 글자가 찍혀 나오는 경이로움은 손의 수고로움을 어느 정도 덜어주었다는 안도감을 넘어서는 것이었다. 물론 그런 경이로움말고라도 타자기가 가져다주는 글 쓰기의 효율 역시 무시할 수가 없다. 글쓴이의 고등학교 동창 가운데에는 무협지를 쓰는 친구가 하나 있었다. 무협지를 쓴다는 것이 워낙 틀에 박힌 일인지라 사실 작품 구상이 끝나고 주인공과 그를 둘러싼 갈등만 제시되면 그 다음 작업은 일사천리로 진행되게 마련인데, 그 친구 말로는 손으로 원고지를 긁어대면 하루에 기껏해야 일 이백 장 정도면 체력의 한계를 느끼는데, 타자기로는 그 서너 배의 효율을 올릴 수 있다는 거였다.[3]

이 타자기를 대신한 것이 개인용 컴퓨터의 워드프로세서이다. 하지만 타자기와 컴퓨터 사이에 과도기적으로 끼어 든 것이 있었으니, 그게 바로 전용 워드프로세서였다. 이것은 8비트 칩을 기본 씨피유(CPU)로 장착하고 열전사 방식의 프린터까지 달려 있어 어디든 휴대

2) 갑술 본(甲戌本) 『홍루몽평(紅樓夢評)』「범례(凡例)」, 『홍루몽자료회편(紅樓夢資料匯編)』, 톈진(天津): 난카이대학출판사(南開大學出版社), 1983, 100쪽.

3) 무슨 삼류 소설처럼 들릴지도 모르겠지만, 이 친구는 정력적으로 자판을 두들기다가 불치의 병으로 삼십대 초반의 나이로 세상을 떠버렸다. 혹시 글 쓰는 사람들에게는 한 사람이 평생에 쓸 수 있는 글의 분량이 정해져 있는데, 그 양을 다 채우고 나면 제 할 일을 다했다는 듯 오롯이 손털고 일어나 저 세상으로 가는 것일까?

하고 다니면서 마음 내키는 대로 글을 써서 출력까지 할 수 있었다. 그러나 메모리가 작아 한꺼번에 많은 글을 쓸 수 없었고, 모니터 화면도 대 여섯 줄밖에 보여주지 못해 무척 답답했으며, 프린터는 수동으로 한 장씩 공급해 주어야 했으므로 한꺼번에 백 장쯤 출력하려면 그로 인한 수고도 만만치 않았다. 그런 저런 이유로 줄여서 '워프'라고 불렸던 노트북의 선조 격이 되는 이 기계는 짧은 전성시대를 끝내고 역사의 뒷길로 사라져 버렸다.

본격적인 글 쓰기의 혁명은 역시 개인용 컴퓨터로부터 비롯된다고 할 수 있다. 1980년대 초반 아이비엠이 당시로서는 유망한 벤쳐기업의 하나에 지나지 않았던 마이크로소프트와 손을 잡고 인텔사의 씨피유를 장착한 개인용 컴퓨터를 내놓았을 때, 전지구적으로 현재와 같은 혁명적인 변화를 가져오리라 예상한 사람은 누구도 없었다. 그러나 실제로 우리가 개인용 컴퓨터를 가까이한 것은 그로부터 약 10여 년의 시간이 지나 우리가 흔히 '엑스티XT' 컴퓨터라고 불렀던 8088 XT 씨피유를 장착한 개인용 컴퓨터가 나온 1980년대 후반이다. 이후로 80286, 80386 계열의 씨피유를 장착한 '286'이니 '386'이니 하는 컴퓨터들이 그야말로 정신 못 차릴 정도로 빠른 속도로 우리 곁을 스쳐가더니 이제는 펜티엄 투 씨피유를 장착한 멀티미디어 피씨가 우리의 오감을 사로잡고 있다. 이러한 컴퓨터를 이용한 글 쓰기는 이미 대중화의 단계를 넘어 일상화되어버린 느낌이 들기도 한다. 이제는 극소수의 사람을 제외하고는 그 누구도 컴퓨터 없는 글 쓰기를 생각할 수 없다. 자신의 생각을 펼쳐 보이기 위해 "정확히 20일 동안 쑤셔 박혀 200자 원고지 일천 매를 긁"[4)]어대지 않을뿐더러 그렇게 할 필요도 없는 것이다.

김병익은 손으로 글을 쓰다가 컴퓨터로 전환하기까지의 과정을 언급하면서, 그것이 단순한 손의 수고로움을 덜어주는 차원에서 벗어나 글 쓰기에 대한 태도와 그 안에 담긴 내용에까지 변화를 가져왔다는 사실을 다음과 같이 지적하였다.

> 종이가 귀하던 시절과 그것을 얼마든지 소비할 수 있을 때 글 쓰는 사람의 태도가 같은 수는 없으며, 글씨를 쓰기 위해 먹을 갈고 붓을 다듬던 시절과 만년필이든 볼펜이든을 쉽게 잡아 가볍게 글줄을 휘갈길 수 있는 때의 마음 가다듬는 자세가 다를 수밖에 없다. 전날의 문체가 장중하고 유려한 것은 그 당시의 삶과 그 의식의 차이에도 있지만, 필기 도구의 성격과 그 용지의 다과에도 유래될 것이란 짐작은 그리 황당한 것만은 아니다.[5]

그리하여 “그 하찮은 기술적 숙련성의 차이가 일으킨 결과는 의외로 크다”[6]고 할 수 있다.

> 워드프로세서에 익숙해진 후 자판을 앞에 놓고 글을 쓸 때에는, 게임으로 컴퓨터의 초보를 익히던 때의 습성으로 놀이를 하는 듯한 가벼운 마음으로 다가앉고, 그래서 원고지든 타자기의 백지든 종이를 대할 때 달겨들던 압박감이 사라지며, 잘못된 문장은 언제든 쉽게 고칠 수 있고 마음에 들지 않으면 간단히 지워버릴 수 있다는 자유로움이 감돌고 있는 것이다. 더구나 글씨 쓰기에서의 손가락에 대한 자의식이 없

---

4) 김용옥, 『여자란 무엇인가』, 서울: 통나무, 1986. 274쪽.

5) 김병익, 「컴퓨터는 문학을 어떻게 변화시킬 것인가」, 『새로운 글 쓰기와 문학의 진정성』, 서울: 문학과지성사, 1997. 58쪽.

6) 김병익, 같은 책, 59쪽.

> 어지고 그것의 문자화 속도가 머릿속의 사유 속도와 거의 같다는 점은 내면 의식의 표출에 즉각성과 솔직성을 부여하리라는 짐작까지 들게 한다.[7)]

이것은 컴퓨터로 글 쓰기를 해 본 사람이라면 누구나 동의할 수 있는 내용이다. 자판 위에 놓인 손가락은 "원고지 위에서 멈출 줄 모르는 분홍신처럼" "붓을 한번 대면 저절로 멈추는 법이 없다(下筆不能自休)"[8)]는 경지를 벗어나 "타자(打字)를 하면서 나와 타자(他者)가 하나로 녹아 합쳐지는 경지에서 노니는(打字游於交融)" 경지로 훌쩍 비상하는 것이다. 컴퓨터로 글 쓰기는 분명 이제껏 인류가 맛보지 못했던 글 쓰기의 경이로움을 열었다 할 수 있다. 그러나 이렇듯 장황하게 사설을 늘어놓은 것과는 무관하게, 이 글에서 논의하려는 것은 그렇듯 신산스러운 수작업으로부터 문명의 이기(?)[9)]를 이용한 편리한 글 쓰기로의 여정을 보이고자 하는 것이 아니다.

앞서 말했듯이 컴퓨터를 비롯한 기계들의 짧은 라이프 사이클은 그 가격으로 보아서는 일 개인의 재산 목록의 상위권에 충분히 랭크될 만한 것들을 여타의 일회용 물품처럼 한번 소비하고 마는 소모품으로 격하시켜 버리고 말았다. 이제 우리에게는 더 이상 오랜 세월 갈고 닦아가며 대를 물려 쓸 '내구재'란 존재하지 않는 것이다. 이러한 내구재의 상실은 우리에게 그 만큼의 경제적인 부담을 지웠을 뿐만 아니라 사물을 대하는 우리의 인식마저도 흔들어 놓아 버렸다.

---

7) 김병익, 같은 책, 59쪽.

8) 김용옥, 앞의 책, 274쪽.

9) 그러나 글쓴이 자신은 컴퓨터가 과연 문명의 이기인지에 대해서 별로 긍정적이지 못한 입장을 갖고 있다. 이 점에 대해서는 차후에 따로 논의할 기회가 있을 것이므로 여기에서는 상론하지 않기로 하겠다.

이제 영원한 사랑 따위는 유행가 가사에나 등장하는 구두선이 되어 버렸고, 지식은 하나의 패션이 되어버렸는지도 모른다. 한때 리얼리즘의 열풍이 젊은 학도들의 머리와 가슴을 뜨겁게 달구어 놓더니 포스트모던의 환멸이 그 모든 회의를 쓸어가 버린 것일까? 그리고 문득 새삼스럽게 마주친 세기말이다.

2.

세기말, 또는 새로운 밀레니엄의 벽두에 선 인문학이 안고 있는 가장 큰 화두는 '인문학의 위기'라는 풍문이다. 하지만 이 말은 사실상 우리의 심금을 그다지 울리지 못하고 있다. 우선 실제로 우리의 인문학이 위기에 처해 있다는 게 정확한 근거가 있는 사실판단인지, 또는 그렇다면 역으로 이제까지의 인문학은 상대적인 태평성대를 구가해 왔다는 얘긴지 하는 등등의 의문은 차치하고라도, 현재 우리 주위를 둘러보았을 때 도대체 위기상황에 처해 있지 않은 게 뭐가 있는가 하는 부질없는 생각마저 드는 게 사실이다. 나아가 역사적으로도 위기가 아닌 적이 있었던가? 진시황(秦始皇)의 '분서갱유(焚書坑儒)'야말로 역사적으로 가장 엄혹했던 또는 치명적이었던 인문학의 위기가 아니었던가? 명청대(明淸代)의 숱한 금서(禁書)에 관한 칙령들뿐만 아니라 가깝게는 문화혁명(文化革命)의 단순무식한 문화 압제를 포함해 아직까지도 『금병매(金甁梅)』가 공개적으로 일반에게 유포되지 못하고 도서관에서 먼지를 뒤집어쓰고 있는 현실은 또 어떤 식으로 해석해야 할지. 몇 백 년 전 씌어진 「『금병매(金甁梅)』서(序)」

에서 둥우(東吳)의 눙주커(弄珠客)라는 사람은 다음과 같이 말한 적이 있었다.

> [이 작품의 의도는] 대개 세상 사람들에게 [그렇게 하지 말라고] 권계를 하고자 함이지, [그렇게 하라고] 권하는 것이 아니다. 나는 일찍이 다음과 같이 말한 적이 있었다. "금병매를 읽고 연민의 마음이 생기는 사람은 보살이고, 두려운 마음을 갖는 자는 군자이며, 즐기려는 마음이 생기는 자는 소인이다. 이를 배워 모방하려는 마음을 갖는 자는 금수일 따름이다."10)

그렇다면 『금병매』를 아직도 일반 사람에게 유포할 수 없다고 생각하는 사람들은 세상이 보살이나 군자보다는 소인이나 금수에 해당하는 사람들로 가득 차 있다고 생각하고 있는 것은 아닐는지.

인문학의 위기가 색정서(色情書)의 금제(禁制)로 흘렀으니 논의가 곁길로 뻗은 감이 있다. 하지만 여기에서 우리는 인문학의 위기를 초래한 원인을 더듬어 볼 수 있는 실마리를 한 가닥 감지할 수 있다. 그것은 어느 시대고 위기 상황을 연출해낸 것은 권력이라는 사실이다. 그것은 정치 권력이나 경제력에 바탕한 금권력일 수도 있고, 좀체 그 모습을 드러내지 않는 문화 권력일 수도 있다. 또는 이 모든 권력의 총합일 수도 있을 것이다. 문제는 이러한 권력을 정당화하거나 거기에 기생하여 왕성한 자기증식을 해 왔을지도 모르는 '글 쓰기'이다.11)

---

10) "蓋爲世戒, 非爲世勸也. 余嘗曰: 讀『金瓶梅』以生憐憫心者, 菩薩也; 生畏懼心者, 君子也; 生歡喜心者, 小人也; 生效法心者, 乃禽獸耳.

11) 잘 알려진 대로 푸코는 그의 담론 이론을 통해 권력과 지식의 연계론에 대해 설파한

'글 쓰기'의 문제는 생각만큼 단순하지가 않다. 월터 J. 옹은 글을 쓴다는 것이 사람들의 의식을 재구조화한다고 주장하면서, "문자에 익숙한 사람들이란 선천적인 능력보다는 쓰는 기술에 의해서 직·간접적으로 구조화된 힘에 힘입어 그 사고과정을 형성시킨 인간을 말한다"고 하였다.[12] "쓰기는 어떠한 발명보다도 더욱 강하게 인간의 의식을 변형시켜"[13] 온 것이다. 그리고 글 쓰기는 한 걸음 더 나아가 현실적인 힘으로 전환되게 된다. 에코의 다음과 같은 언명은 글 쓰기가 단지 사실을 기록하는 데 그치지 않고 인간적 현실을 통제하고 정당화하는 하나의 권력으로까지 승화되는 것을 보여주고 있다.

> 글 쓰기는 정보를 기록하기 위해 고안되었으나 즉시 이데올로기적 기능도 넘겨받기 시작했다. 제의(祭儀)를 찬미하고 법을 확정하고 특권을 강조하기 위해 수없이 많은 글이 쓰여졌다. 글 쓰기는 급속하게 권력의 도구가 된다.……속인들의 눈엔 사서 즉 도서관의 수호자들은 한 구석에 눌러앉아 전혀 생색도 나지 않는 일에 몰두하느라 수천 년 동안 글 쓰기의 비밀을 잊은 듯이 보일지도 모른다. 하지만 실제로 이들은 자신의 역할에 관해 자부심에 넘쳐 있고 허영심이 강하며 언제나 왕이나 파라오의 근처에 머물고 있다고 자만하고 있다. 그리고 이와 함께 온갖 규정을 새로 고안해내고 필사기술의 규칙을 바꾸고 글씨도 아주 작게 써서 아무도 알아보지 못하도록 만든다. 그리고 글의 내용이 애매모호할수록 이들이 누리는 권력은 커지고(이것은 참으로 떨쳐버리기 힘든 유혹이다) 수수께끼 그림을 복잡하게 그릴수록 이들의 중

바 있다. 그에 의하면 권력이라고 하는 것은 지식에 의해 가장 효과적으로 운용되고 창출된다고 한다.

12) 월터 J. 옹, 『구술문화와 문자문화』, 서울: 문예출판사, 1995, 123쪽.

13) 월터 J. 옹, 같은 책, 123쪽.

요성도 늘어나게 된다.[14]

곧 글 쓰기는 본래 권력을 옹호하기 위해 만들어졌으며, 그런 까닭에 태생적으로 권력 지향적일 수밖에 없는 것이다. 진시황(秦始皇)이 분서(焚書)를 했던 것은 자신의 통치 이념에 반하는 모든 글들을 없애려 했기 때문이었다. 당시 분서를 면한 것은 의약(醫藥)과 점복(占卜), 농상(農桑)에 관한 실용서들이었다.

하지만 진시황의 의도가 실패로 돌아갔듯이 글 쓰기의 권력화는 항상 글 쓰기 자체의 생명력을 죽이는 결과로 귀결되었다. 중국문학사에서는 이러한 예를 수도 없이 찾아 볼 수 있다. 그 대표적인 것이 중국문학에서 가장 정통의 지위를 차지하고 있다고 볼 수 있는 시(詩)이다. 주지하다시피 중국문학사에서의 시의 기원은 대개 민간에서 찾아진다. 곧 중국의 전통적인 고시(古詩)는 『시경(詩經)』의 「국풍(國風)」과 한대(漢代)의 악부시(樂府詩)의 전통을 이어받은 오언(五言)이나 칠언(七言) 계통의 고시(古詩)가 위진남북조(魏晋南北朝) 시대를 거치면서 문인들의 손에 의해 다듬어진 뒤, 당대(唐代)에 이르러 고도로 완정된 형식미를 갖춘 근체시(近體詩)로 확정된 것이다.[15]

여기에서 흥미로운 것은 '근체시(近體詩)'라는 명칭이다. 현재로부터 천 몇 백 년 전에 나온 시가 현재까지도 '요즘 형식의 시'라는 의미를 가진 '근체시(近體詩)'라는 이름으로 불리고 있는 데에는 그에

---

14) 움베르토 에코, 『글 쓰기의 유혹』, 서울: 새물결, 1994. 102-103쪽.

15) "先(近體詩)秦 시대의 『시경(詩經)』, 『초사(楚辭)』 등 전통문학 형식의 절충에다, 선진(先秦) 이래로 전래되어 온 민가(民歌)가 악부(樂府)에 채입(采入)되고, 다시 문인(文人)은 악부(樂府)를 모방한 외로, 문학의 진화력과 내적 수요에 의한 것이다." (허세욱, 『중국고대문학사』, 서울: 법문사, 1986, 138쪽.)

합당한 이유가 있는데, 그것은 당대(唐代)의 '근체시'가 현재까지도 그 때와 똑같은 형식으로 계속 창작되고 있는 것과 밀접한 관계를 맺고 있다. 곧 그 때나 지금이나 '근체시'가 갖고 있는 역사적인 가치는 동일하다는 것이다. 이 말은 '근체시'가 당대에 이미 올라갈 수 있는 최고의 경지에 올라 더 이상 오를 데가 없는 완벽한 문학 양식이었다는 말도 되지만, 역으로 그 생장은 멈추어 버렸으나 그 생명력만큼은 단절되지 않고 끊임없이 이어온 살아있는 화석으로 변해 버렸다는 것을 의미하기도 한다. 과연 '근체시'가 완성된 당대 중엽 이래로 민간에서는 죽지사(竹枝詞)를 비롯한 민가(民歌) 형식의 시의 이형태(異形態)들이 등장해 완정한 형식의 틀 안에서 고사해버린 시를 대신하려는 움직임이 일었다. 그리하여 등장한 것이 '사(詞)'이거니와, 이 '사' 역시 송대 중엽 이후 진행된 격률화(格律化)에 의해 그 생명력이 소진되자 민간에서 산곡(散曲) 등이 다시 등장함으로써 그 생명력을 이어갔다는 것은 중국문학사에서는 더 이상 상식으로도 치부되지 않는 이야기이다. 한 마디로 글 쓰기가 하나의 문화 권력으로 자리잡게 되는 순간 그러한 권력을 바탕으로 글 쓰기가 화려하게 꽃을 피우고 번영하는 것이 아니라 쇠락의 길을 걷게 되는 것이다.

그렇다면 그 권력의 실체는 무엇인가? 그리고 그러한 권력과 글 쓰기가 결합하는 방식은 어떠한 것인가? 또는 우리가 글을 쓴다는 것은 무엇을 의미하는가? 혹은 우리가 이런 질문에 대한 답을 이미 알고 있는 것은 아닐까? 그렇다면 고의로 그것에 대해 드러내놓고 이야기하지 않는 것일지도 모른다. 곧 앞서 글 쓰기의 방식으로부터 시작된 글 쓰기에 대한 문제 의식은 내용적인 데까지도 그 범위를 확장하게 되는 것이다. 나아가 학문의 세계에서 논문이라는 형식의 글이 차지하고 있는 중요성을 고려할 때 글 쓰기의 문제는 학문을 대하는 태도와 그것을 채우는 내용 등의 문제와 밀접한 관련을 맺게 된다.16)

3.

여기에서 한 가지 지적해두어야 할 것은 우리의 학문을 주로 규정짓는 것은 근대적인 의미에서의, 좀 더 정확하게 말해서 근대 이후 서구의 영향 하에 받아들인 학문의 개념이라는 것이다. 그러므로 우리가 학문을 운위할 때에는 이러한 서구의 지적 전통을 무시할 수 없다. 그렇다면 서구의 근대적인 학문이 기대고 있는 근거는 무엇인가? 그것은 인간의 이성을 긍정하고 그것에 보편적 가치를 둔 합리주의이다. 곧 학문은 이성의 힘으로 합리성의 이름으로 그 정당성이 부여된 것이라 할 수 있다. 따라서 그러한 학문의 외연인 논문이라는 형식의 글 쓰기 역시 이성과 합리성에 기반하지 않을 수 없다.

> 세상에 대한 과학적인 인식, 이 인식의 객관적인 표현, 논리적인 주장과 증명 등에 가치를 부여하는 계몽주의 이래의 근대적 합리성의 이념이 논문의 이상적인 구성을 결정하고 논문의 담론양식을 규정하는 것이다.17)

16) "매체는 메시지'라는 마샬 맥루한의 주장은 매우 유효하다.……즉 형식이 내용을 얼마든지 지배할 수 있다는 말이다. 따라서 글 쓰기의 문제는 형식의 문제인 동시에 내용의 문제다. 글 쓰기 문제는 곧 학문의 문제인 것이다." (강준만, 「'기지촌 지식인'을 질타하는 김영민의 글 쓰기 혁명-따로 노는 삶과 앎의 결혼을 위하여」, 『인물과 사상』 제3호, 서울: 개마고원, 1997.8. 287쪽.)

한편 이성과 합리성에 기반 한 논문은 그 나름의 독특한 형식을 요구하게 되는데, 그 가운데 가장 눈에 띄는 것이 그 문체이다. 논문의 문체가 요구하는 기본적인 덕목은 투명성으로, 이것은 다시 두 가지로 나뉜다. 그것은 '논문에서 사용된 개념들은 분명하게 정의되어야 한다'는 것과 '가능한 간명하고 명확하게 표현하라'는 것이다.[18] 따라서 논문의 문체가 기피하는 것은 과다한 수식어를 사용한 복문과 그 함의를 분명하게 알 수 없는 비유적인 표현이나 구어적인 표현이다. 논문에서는 하나의 생각을 하나의 문장에 담고 가급적이면 화려한 만연체보다는 건조체로 쓸 것을 요구하는 것이다.

그러나 논문의 합리성을 다른 무엇보다 극명하게 보여주는 것은 논문의 구성원리이다.

> 일반적으로 논문은 서론, 본론, 결론의 세 부분으로 나뉘고, 각 부분은 문단을 단위로 다시 나뉜다. 이상적인 문단은 주제문으로 시작하고 결문으로 끝나야 하며, 문단 내의 모든 문장을 하나로 묶어주는 통일성과 인접한 문장들을 긴밀하게 엮어주는 연관성을 갖추어야 한다. 문단의 첫 문장은 그 문단의 주장을 담는 주제문이어야 하고, 마지막 문장은 주장을 반복해서 확인하는 결문이어야 한다. 주제문과 결문 사이

---

17) 신광현, 「대학의 담론으로서의 논문–형식의 합리성에 대한 비판」, 『열린지성』 제3호, 1997 겨울. 13쪽.

18) 모범적인 논문 글을 쓰고자 하는 데 필요한 덕목들에 대해서는 움베르토 에코의 『논문 어떻게 쓸 것인가』(서울: 이론과실천, 1991)를 참고할 것. 이 책은 논문, 특히 학위논문을 준비하는 사람에게는 훌륭한 지침이 될 만한 내용이 많이 담겨 있으므로 일독을 권한다. 그러나 글쓴이의 이 글은 에코의 책 등에서 제시되고 있는 모범적인 논문 글들에 대한 비판적인 성격을 띠고 있으므로, 역으로 별탈없이 순탄하게 학위논문이 통과되어 조속한 시일 내에 제도권 학문의 세계로 편입되기를 바라는 사람들에게는 이 글이 독약이 될 수도 있으니, 잘 헤아리기 바란다.

의 모든 문장은 주제문과 관련됨으로써 문단에 통일성을 주어야 하고, 앞 뒤 문장이 서로 연결됨으로써 문단에 긴밀성을 부여해야 한다. 이러한 문단구성의 원리는 논문 전체의 구성 원리이기도 하다. 서론은 논문 전체의 주장을 밝혀야 하고, 결론은 그 주장을 확인해야 하며, 본론은 논문의 주장을 통일성과 긴밀성을 갖고 증명해야 하는 것이다.[19]

위의 인용문의 내용은 아리스토텔레스의 『시학』에 나오는 내용을 요약 정리한 것인 듯이 보인다. 아리스토텔레스는 "비극의 플롯은 전체여야 하며, 전체는 시작·중간 그리고 끝을 가진다"[20]고 말했는데, 한 마디로 "플롯이란 인과관계가 있는 일련의 사건들"로서, "각 사건은 개연성 또는 필연성의 법칙에 따라 그 앞의 사건에서 기인하며, 동일한 법칙에 따라 그 다음의 사건을 낳는" 것이다. 개연성과 필연성이야말로 이성과 합리주의가 추구하는 기본 요소가 아니던가?

하지만 논문이 추구하는 "합리성은 대상세계의 우연적인 면을, 일관성은 다원적인 면을, 통일성은 복합적이고 중첩결정적인 면을, 논리성은 합법칙적이지 않은 면을 구조적으로 억압하고 관심 영역 밖으로 배제하기 쉽고", 아울러 "서론 본론 결론의 구성은 결론을 향한 단선적인 전개를 강요함으로써 대상세계의 다선적이고 다면적인 면을 충분히 존중하기 어렵게 만드는" 한계를 갖고 있다.[21] 또 "논문의 이상적인 문체가 전제하는 투명성은 언어의 물질성과 사회성을 억압함으로써, 논문이 담아내는 사고의 성격을 미리 규정하고, 그 사

---

19) 신광현, 앞의 글, 12-13쪽.

20) 이 부분은 『시학』의 제7장 첫머리 부분의 내용을 압축 요약한 것이다.(C. 카아터 콜웰, 『문학개론』, 을유문화사, 1973. 17쪽.) 좀 더 구체적인 것은 『시학』 제7장을 참고할 것.

21) 신광현, 앞의 글, 14쪽.

고의 한계를 바라보게 하는 비판적 거리를 제거"하게 된다.[22]

이렇듯 논문의 합리성과 이성주의는 양면성을 띠고 있는데, 따라서 일반적으로 말하여지는 논문에 대한 반성은 다음과 같은 주장으로 귀결된다.

> 합리성을 기본 이념으로 하는 논문양식이 꼭 필요한 것이라는 데에는 이론(異論)을 달기 어려울지 모르지만, 인문학이나 사회과학에서 위와 같은 구성원리를 갖는 논문이 유일한 혹은 최적의 양식인지는 검토해볼 필요가 있다. 합리성을 기본원리로 하는 논문양식이 인간과 사회에 대한 일정한 이해를 가능하게 해주는 면이 있지만 다른 방식의 이해를 구조적으로 차단할 수도 있기 때문이다.……합리성에 기반을 두는 논문은 인간과 사회에 대한 객관적 접근과 논리적 표현을 가능하게 하지만, 동시에 결국에는 그것에 대한 경험적이고 실증적인 지식만 정당한 것으로 인정하고 허용하기 마련이다.[23]

곧 문제가 되는 것은 "논리적 연결이나 명쾌한 문체를 그것 자체로 부정하자는 것이 아니라, 그것들이 전략적으로 선택될 수 있는 다양한 가능성 중의 하나일 뿐이므로 유일무이한 절대적인 척도로 작용해서는 안 된다는 것을 기억하자는 것"이다.[24]

---

22) 신광현, 앞의 글, 20쪽.

23) 신광현, 앞의 글, 13-14쪽.

24) 신광현, 앞의 글, 26쪽.
"지금의 우리에게 논문은 표현과 전달을 위한 하나의 수단이 아니다. 그것은 「학문성」이라는 우리의 생명력을 독점함으로써 우리의 생존을 좌우하는 독재자이다. 이미 우리의 학문은 논문에게 바치는 연중 제사로 전락하고 말았다. 그러므로 논문은 누구든지 자유롭게 선택하거나 폐기할 수 있는 「하나의(a)」 방식이 아니라 학자로 행세하려는 자라면 반드시 따라야만 하는 「하나뿐인(the)」 방식이다." (김영민, 「논문중심주의와 우리 인문학의 글 쓰기」, 『탈식민성과 우리 인문학의 글 쓰기』, 서울: 민음사,

그렇다면 논문이라는 글 쓰기 행위는 결국 세계를 바라보는 시각, 곧 세계관의 문제로 귀결되게 된다. 이것은 나아가 세계를 넋을 놓고 바라만 볼 것이 아니라 어떤 방식으로 세계를 규정하고 궁극적으로 만들어 나갈 것인가 라고 하는 적극적인 의미에서의 주체의 개입을 요구한다. 이것은 논문이 갖고 있는 제도적인 힘으로 발현되는 바, 이것이야말로 앞서 논의한 글 쓰기와 권력과의 관계라 할 수 있다. 그러므로 논문을 쓰는 순간 논문의 주체는 "'객관적 진리'를 소유할 권리와 소유하고 있다는 권위, 그리고 그 권위를 부릴 수 있는 권력"25)을 부여받게 된다.

4.

그러나 그러한 권력의 바탕이 되는 합리성은 분석이라는 이름 하에 모든 것을 이분법적으로 나누고자 하는 경향이 있다. 하지만 이러한 분석이 앞서 말한 세계관의 영향을 받게 되면 논리적 전개과정이 지배와 피지배의 수직적 구조로 나타나게 된다.

> 논리적 구분의 대상이 된 개념들과 논리적 종합의 대상이 된 개념들은 심리적 간섭을 강력히 받게 됨으로써 개념들의 수평적 평등성이 배제되고 그 대신 수직적 불평등성이 철학자들의 논리적 사고의 방향을 조종하였다고 해석된다.
>
> 말하자면 "분단시키고 통치하라!"(Divide et impera!)는 고전적 지

1996. 17쪽.)

25) 신광현, 앞의 글, 18쪽.

> 배요령이 서양논리학의 영역에서도 "구분하고 포섭하라!" 또는 "양분하고 종합하라!"는 말로 바뀌어 그대로 통용되어 왔다. 고전적 통치의 수법은 '양분법적 수직논리', '포섭적 수직논리', '변증법적 수직논리' 속에 이미 그와 같은 분리 또는 분단과 포섭, 또는 지배의 수직적 구조가 반영되어 있다.[26)]

이러한 수직적 구조가 반영된 학문은 먼저 앎을 삶으로부터 분리하는 작업을 시도하게 된다. 이렇듯 삶으로부터 유리된 앎이라고 하는 것은 더 이상 현실에 발을 딛고 있는 실체가 아니라 이 세계를 초월해 존재하는 신화나 전설로의 신비화의 길을 걷게 된다. 그리고 그러한 신비화는 학문을 담아내는 그릇인 논문에 추상적인 의미에서의 권력이 아니라 구체적인 현실적인 힘, 권력을 부여하게 된다.[27)] 아울러 그러한 힘은 앎이 삶으로부터 유리되면 될수록 더욱 커지는 경향이 있어, 그 만큼 앎을 다루는 사람은 자신의 앎을 현실로부터 멀어지게 하는 노력에 필사적으로 매달리게 되는 것이다.

> 우리가 정작 놀랍게 생각해야 할 것은 앎을 다루는 사람들의 집단이기주의이다. 그들은 권위를 누리기 위해 삶에 접근하려 하지 않는다. 그들의 앎이 삶에 접근할수록 그들의 배타적 전문주의는 도전을 받게

---

26) 윤노빈, 『신생철학』, 서울: 학민사, 1989. 43쪽.

27) 우리가 대중음악을 이야기할 때, 흔히 듣게 되는 '전설적인 록그룹'이니 하는 말을 떠올려 보라. 이때의 '전설적인'이라는 끌리셰cliché는 유명한 음악인들에게 붙여지는 시니피앙에 지나지 않는다. 어떤 의미에서는 마니아들 사이에 통용되는 일종의 기호인지도 모른다. 그런 상투적인 기호를 주고받으면서 해당 록그룹이나 가수는 진짜 전설이 되고 신비화되며, 그런 과정을 통해 하나의 문화 권력으로까지 떠받들어진다. 그들의 일거수일투족은, 그들이 내뱉는 말 한 마디 한 마디는 수다스러운 매스컴을 통해 부풀려지고 왜곡되어 어린 백성들을 지배하는 것이다.

> 돼 있다.……그런 풍토에서 앎의 길을 시작하는 사람들은 삶과 앎이 서로 따로 놀수록 학문의 수준이 높아지는 걸로 생각하게 된다.[28]

이러한 생각은 거꾸로 지식의 수용자들에게도 피드백되어 나타나게 된다.

> 그러나 '거품 문화'에 길들여진 우리는 지식은 현실과 동떨어져야만 무겁고 품위 있다고 생각한다. 그 누구도 함부로 끼어 들 수 없는 이야기를 해야 권위를 인정받는다고 생각하며, 실제로 그러하다. 그런 생각은 글 쓰기에 그대로 나타난다. 하기야 지식에도 여러 종류가 있을 것이고 남이 모르면 모를수록 가치 있는 그런 지식도 있을 게다. 자연과학의 경우에 그러하다.[29]

이렇듯 학문을 현실로부터 유리시켜 신비화하는 과정을 통해 학문은 하나의 제의로 발전하게 된다. 논문이라는 것은 학문을 경배하는 필자에 의해 제단에 봉헌되는 하나의 제물이며, 그러한 제의를 통해 현실 세계를 지배하는 허위의식false consciousness이 만들어지게 되고, 이 허위의식이 다시 권력을 창출해 내는 일련의 과정이 간단없이 이루어지게 되는 것이다. 이제 학문이 자신의 삶으로부터 유리된 앎을 희롱하는 지적 유희로 전락해 버렸다는 것은 더 이상 새삼스러운 일도 아니다. 문제는 사태의 심각성을 감지하고 알려줄 '잠수함 속의 토끼'[30]가 부재하거나 있더라도 소수에 불과하다는 데

28) 강준만, 앞의 글, 283-284쪽.

29) 강준만, 앞의 책, 288쪽.
자연과학의 경우는 이필렬의 「과학의 민주적 통제를 위하여」(『녹색평론』 第37호, 대구: 녹색평론사, 1997.11.)를 참고할 것.

있다.

학문의 세계에서 위와 같은 권력 창출의 과정을 가장 극명하게 보여주는 것이 학위 논문이 될 것이다. 학위 논문은 흔히 자동차 운전면허에 비유된다. 운전 면허를 따야 자동차를 몰고 거리로 나설 수 있듯이 학위가 있어야 학자로서 인정을 받고 나아가 대학에 자리를 얻어 강단에 서서 학생들을 가르칠 수 있는 것이다. 그러나 자동차 운전은 면허를 따고 나서 다시 새롭게 배우는 것이라는 말이 있듯이 학위도 마찬가지의 상황이 벌어진다. 학위 논문과 학문성은 동전의 양면을 이루는 것이 아니라 애당초 그 뿌리를 같이 할 수 없는 것인지도 모른다. 그것은 학위 논문을 준비하고 심사하는 과정이 진정한 의미에서의 학문성과는 별개로 이루어지기 때문이다. 이 땅에서 이루어지는 학위 논문의 심사과정을 간단하게 일별하면 다음과 같다.

우선 학위가 필요해[31] 학위 논문을 준비하는 학생은 지도교수의

30) 『25시』의 작가 게오르규가 지식인의 사회적 역할과 의의에 관해 언급하면서 든 비유이다. 잠수함 속은 시간이 가면서 공기가 희박해지기 마련인데, 토끼는 그런 상황 변화를 인간보다 빠르고 예민하게 감지한다. 그래서 잠수함에는 토끼를 태우게 되는데, 한 사회 내에서의 지식인들 역시 '잠수함 속의 토끼'와 마찬가지여서, 현실의 부조리나 억압적인 상황에 대해 다른 사람들보다 민감하게 반응하여 주위 사람들에게 전파하는 것이 그들의 역할이자 책무라는 것을 말한다.

31) 필요하다는 표현에 주목하기 바란다. 학위라는 것이야말로 근대 이후 받아들인 서구적인 학문 방식의 가장 전형적인 형태이기 때문이다. 그것은 우리가 살아 숨 쉬는 현실적 요구로부터 나온 것이 아니라, 학자의 길을 걷겠다고 나선 한 사람의 토대 문제를 해결하기 위한 방편으로서의 의미가 더 크기 때문이다. 그런 의미에서 한 사람에게 학위는 인식론적 차원에서 왈가왈부를 따질 수 없는 정언 명제가 아니라 존재론적 차원에서 수많은 갈등과 망설임을 동반하는 핍박에 다름아니다. 곧 학위는 자본주의 시대에 학인들이 생존을 위해 갖추어야 하는 존재 조건인 셈이다. 비교할 수는 없는 노릇이지만 전통 시대의 학인들에게 무슨 박사 학위 같은 것이 있어 그들 나름의 학문 세계를 일구었겠는가 하는 회의가 온몸을 휩싸고 돈다. 그런 의미에서 서푼 값어치도 없는, 개도 안 물어갈 교수라는 직책에 목을 매고 있는 자신에 대한 서글픈 자조가 우리의 참담한 자화상인지도 모른다. 새삼 '다섯 말의 쌀' 앞에 선 자신이 불

무지를 충분히 감안해 그의 눈높이에 맞추어 논제를 선정하고 내용을 채워나가야 한다. 그렇지 않은 경우, 지도교수로부터 쏟아져 나올 수준 이하의 황당한 질문 공세에 당혹감을 금치 못하다가 초장부터 논문 쓸 의욕을 잃을지도 모르기 때문이다. 어찌 그뿐이랴!

> '쓰기'보다는 '보기'와 '듣기'에 재빠른 세대, 정보체계의 다변화·활성화에 따라 더욱 가속(加速)되는, 혹은 저속(低俗)해지는 표절과 짜깁기의 행태, 논문 쓰기를 대학의 공공연한 스캔들로 방치해두면서 초보적인 글 쓰기의 훈련도 마련하지 않고 있는 제도적 방기, 제 스스로 학생들의 글 쓰기를 지도할 수 있을 정도의 고민과 경험을 저축하지 못하고 있는 교수들의 학문행태, 몇몇 수입된 원전의 유통만으로 학문성을 전유할 수 있다고 믿는 타성적 문약(文弱) 등.[32]

그리고 본격적으로 심사가 진행되면 점입가경이다.

> 심사가 시작되면 위원들은 기회가 왔다는 듯 표현, 낱말, 토씨를 물고 늘어진다. 또는 가설이 어떻고 검증이 어떻고 한다. 과학성을 따진다. 각주와 참고문헌의 형식이 어떻다는 둥 op. cit.가 어떠하며 ibid.가 어떠느니 한다. 서구인들이 정해 준 약속의 체계, 또는 이른바 '보편'에 편입되려는 가엾은 노력인지도 모른다.……그래서 논문의 내용이 우리의 도서관과 그 관련기관의 현실과는 완전히 겉도는 것인데도 형식만 맞으면 통과다. 사정이 이렇다 보니 젊은 연구자들은 그 분위기에 맞추려고 안간힘을 쓰게 된다. 평소 연구자 자신이 쌓아온 상식과 교양의 체계, 관찰의 내용, 대화의 내용, 현장으로부터 얻어 읽게

쌍해진다.

32) 김영민, 「글 쓰기·인문학·근대성」, 『열린지성』 제3호, 1997 겨울. 79쪽.

> 된 보고서와 계획서 따위는 과학의 이름으로 연구의 영역에서 추방된다. 연구자는 갑자기 지금까지 일상에서 사용하던 언어의 체계를 벗어나 이른바 과학의 언어를 채택함으로써 자신을 역사와 사회 속에서 연대의 줄이 끊긴 미아로 전락시켜 버린다.[33]

그런 식으로 난타 당하다 보면 도대체 자신이 논문을 쓰는 것인지 그렇지 않으면 심사를 맡은 위원들이 쓰는 것인지 헷갈리게 된다. 그래서 학위 논문을 준비하다 보면 그 과정이 결혼을 둘러싸고 벌어지는 양상과 별로 다를 게 없다는 생각이 들게 된다. 그렇다! 우리나라에서 이루어지는 결혼과 학위 논문은 '나'를 배제하고 벌어지는 일가 친척들과 심사위원들의 한바탕 한풀이 굿이고 푸닥거리인 것이다. 그리고 될 성 부른 나무는 떡잎부터 잘라버린다?

혹자는 이렇게 말하는 글쓴이의 주장이 너무 심한 것이 아니냐, 너무 편벽된 것이 아니냐고 이의를 제기할지도 모르겠다. 또는 그렇게 이루어지고 있다는 구체적인 증거를 정확한 수치를 들어 제시해 보라고 할지도 모르겠다.[34] 이렇게 말하는 사람은 학위 논문 심사과정이 갖고 있는 긍정적인 측면들, 이를테면 무예를 배우러 고수를 찾아가거나 아예 머리 깎고 소림사에 들어간 사람이라면 마땅히 치러내야 할 통과의례initiation로서의 의미를 새삼 강조할 것이다. 그렇다! 우리 사회에서 결혼은 살아가면서 한번은 치러야 할 홍역과

---

33) 김정근, 「문헌정보학 연구에서 '실천적' 글 쓰기란 무엇인가」, 『열린지성』 제3호, 1997 겨울. 85쪽.

34) 정확한 수치를 바탕으로 한 구체적인 증거라고 하는 말이 의미하는 바에 대해서는 글쓴이가 이 글의 후속편 격으로 준비하고 있는 다른 글에서 상론하기로 하겠다. 여기에서는 단지 근대화를 둘러싸고 벌어졌던 여러 담론들의 결정론적, 환원론적 입장들에 대해 글쓴이는 그 반대의 입장에 서 있다는 것만 밝혀두기로 하겠다.

같이 반드시 거쳐야 할 통과의례인 것이다. 마찬가지로 학위 논문 역시 제대로 된 학자를 배출하는 정규 과정으로써 강호의 무림 고수들에게 공인을 받는 것이다. 글쓴이 역시 학위 논문이 갖고 있는 그러한 긍정적인 의의를 부정하는 것이 아니다. 문제의 핵심은 다른 데 있다. 그들이 과연 고수인가?[35)]

앞서 논문이 학문이라는 신성한 제단에 바쳐지게 되면서 벌어지는 신비화의 과정에 대해 언급한 일이 있거니와, 이러한 신비화는 그러한 제의의 주체인 학자들, 보다 구체적으로는 교수들에게도 마찬가지로 행해진다. 우리 사회에서 교수라는 직함이 그 실제에 비해 터무니없이 부풀려져 있다는 것은 주지의 사실이다. 교수들은 그의 인간성이나 학식과는 무관하게 사회적으로 존경받고 그들의 말은 금과옥조로 받아들여지고 있다. 왜 신비화인고 하니, 바로 그들의 인간성이나 학식이 정확한 수치를 바탕으로 구체적으로 검증 받은 적이 없음에도, 또 그들 가운데도 성격파탄자나 모리배, 사기꾼 뺨치는 인간들이 충분히 있을 수 있음에도 사회적으로 거의 터무니없을 정도로 무조건적인 존경을 받고 있기 때문이다.[36)] 그런 의미에서 이것은 신비화라기보다는 하나의 허위의식이다. 하지만 여기에 우

35) "문부성에는 비교적 우수한 관료가 있어서 말이에요. 이 사람들은 대학 교수의 90%는 목을 잘라야 한다고 말합니다. 전혀 공부하지 않기 때문이죠.……미국의 어느 SF 작가가 SF 작품 대회에서 'SF의 90%는 쓰레기다'라고 말했습니다. 전원이 뜨끔하던 차에, '어떤 것이든 90%는 쓰레기다'라고 말했죠."(쓰쓰이 야스타카, 『다다노 교수의 반란』, 서울: 문학사상사, 1996. 64쪽.)

36) "우리는 대학교수라고 하면 비교적 합리적이고 양심적인 사람들이라고 생각하기 쉽지만 그건 천만의 말씀이다. 그들의 집단이기주의는 정치인들 못지않거니와 그들은 그럴 듯한 명분을 내세워 고집을 부린다는 점에서 가장 악성의 집단이기주의를 갖고 있다는 점을 간과해서는 안 될 것이다." (강준만, 「한국은 서울대를 유일신으로 모시는 광신적 사교집단?」, 『인물과 사상』 제1권, 개마고원, 1997.1.20. 182쪽.)

리 사회의 이중성이 깔려 있기도 하다. 대개의 사람들은 교수를 겉으로는 존경하는 척 하지만 속으로는 여간 경멸하는 것이 아니다. 그래서 행여 그들이 사소한 잘못을 저질렀을 경우, 그들도 똑같은 인간인지라 부득이하게 저지를 수 있는 사소한 실수가 어떤 때는 그 사람을 결정적으로 파멸시킬 수도 있는 것이다. 그러니 지엄하신 교수님들께오서는 공연히 어깨에 힘주고 다닐 일만은 아니다. 그러한 떠받들림 속에 감추어져 있는 비수가 언제 자신을 난도질할지 모르기 때문이다.

각설하고 우리의 잘난 교수님들을 가리키는 호칭 가운데 별로 영예롭지 못한 표현이 있는데, 그것은 '폴리페서polifessor'라는 말이다. 여기에서 말하는 '폴리페서'란 본래의 의미인, '정치적인 교수political professor'라는 말 그대로 정계나 관계로 진출하신 분들을 가리키는 것이 아니라, 그것과는 무관하게 공부엔 전혀 뜻이 없으면서 대학 내부의 권력 투쟁에 몰두해 자기 파벌이나 키우고, 대학 밖에선 권력에 줄을 대 권위와 영향력을 행사하며,[37] 제자들 먹고 살 길을 열어준다는 미명 하에 여러 인맥을 동원해 교수 자리를 놓고 치열한 암투를 벌이는 재미로 세상사는 보람을 느끼는 그런 교수를 의미한다. 하지만 목구멍이 포도청이고 공급에 비해 수요가 부족한 것이 교수라는 자리인지라, 이들이 꼭 부정적인 역할만 하는 것은 아니다. 특히 마지막 예의 경우, 현실적인 문제로 말미암아 그들에게 떳떳하게 돌을 던질 수 있는 자 무릇 기하(幾何)리오? 그러니 '폴리페서'도 나름대로 학계에서는 필요악인가?

---

37) '폴리페서'에 대해 자세한 것은 이원태의 「폴리페서 신드롬」(『정치비평』 96년 창간호, 231-240쪽)을 참고할 것.

그러나 그것이 현실적인 문제이고 그래서 어쩔 수 없는 측면이 있다 하더라도 분명한 것은 그들이 가는 길이 정도는 아니라는 데 '폴리페서'들의 비극이 있다. 그들이 현실적으로 효용 가치가 있다 하나 결국 그 최후는 자못 비감하기 때문이다.[38] 정승 집 개가 죽으면 문상객이 들끓어도 정작 정승이 죽으면 찬바람이 감도는 것이 세상 인심인 것이다. 사후에 들리는 저 수군거림을 들어보라. "그 교수가 원래 학문적으로야 별 볼 일 없었잖아? 그저 제자들 몇 명 자리잡아준 것 때문에 어쩔 수 없이 제자들이 따랐던 거지." 이렇게 말하면서 모진 놈 옆에 있다 마른하늘에 날벼락 맞을까 두려워하는 심정으로, 예수의 처형을 앞두고 손을 씻고는 "나는 상관없는 일"이라고 모르쇠를 질러 놓던 빌라도의 길을 따르는 것이다. 그러니 정작 불쌍한 사람은 실력이 없어, 좀 더 정확하게는 단지 공부를 좀 게을리 했다는 이유 때문에 제자들로부터 마음에서 우러나오는 존경을 받지 못하고, 무엇보다 자기 자신에게 떳떳치 못한 못난 스승들 자신인지도 모른다.[39]

이야기가 많이 곁가지로 흘렀다. 사실 이들 '폴리페서'들의 본질을 밝히고 그들을 성토하는 것보다 시급한 것은 다른 데 있다. 이들에 의해 학위 논문 심사가 이루어지는 과정을 통해 또 다른 '폴리페서'

38) "원전의 땅에 대한 근거 없는 강박과 외경에 휩싸여, 읽고 번역하고 베끼고, 또 읽고 번역하고 베끼면서 평생 단 한 번도 자신의 체험을 자신의 말로 진지하고 힘있게 내뱉지 못한 채 기껏 정년퇴임기념논문집이나 한 권 얻어 미지근한 미소를 품은 채 무덤 속으로 입장하고 마는 삶을 '학문'이라 부를 수는 없다." (김영민, 「복잡성과 잡된 글 쓰기: 글 쓰기의 골과 마루」, 『탈식민성과 우리 인문학의 글 쓰기』, 서울: 민음사, 1996. 199쪽.)

39) 그럼에도 불구하고, "마른 사람은 나중에라도 오히려 살이 찔 수 있지만, 선비가 속되면 고칠 수 없다(人瘦尙可肥, 士俗不可醫)"는 말이 효력을 잃는 것은 아니다.

가 확대 재생산된다는 데 문제의 심각성이 있는 것이다. 학위 논문이라는 게 무언가? 앞서도 말했듯이 한 사람의 학자가 마음놓고 학문 연구에 매진할 수 있는 물적 토대를 확보하는 데 필요한 허가증, 또는 면허증이 아니던가? 자본주의 사회든 그 이전의 전통 사회든 학문을 하기 위해 일차적으로 필요한 것이 경제력인 것은 불변의 이치이다. 특히 자본주의 사회의 경우는 학문에 필요한 정보의 양이 워낙 방대한지라 그러한 정보에 접근하기 위한 물적 토대가 없이는 새로운 창견(創見)은 고사하고 기존의 연구 성과마저도 뒤쫓기 힘든 게 현실이다. 그런 까닭에 그러한 물적 토대 확보에 필요한 자격증 역할을 하는 학위 논문은 학자로서 입신하려는 교수 지망자들의 목을 죄는 삼장법사(三藏法師)의 '긴고주(緊箍呪)'[40]이다. 지도교수라는 삼장법사가 외는 주문에 따라 행동할 수밖에 없는 게 논문을 준비하는 대다수의 예비 학자들의 운명인 것이다. 그러니 이런 논문에서 어떤 창의적인 생각이나 기존의 이론에 대한 비판적 견해를 기대하기란 애당초 무망한 일이 될 것이다. 학생들은 자기도 모르는 사이에 서서히 '폴리페서'로 길러지는 것이다.

분위기 파악이 전혀 안 돼 있는 아둔한(?) 학생들은 그러한 권력에 거스르다가 칼침을 맞는 것이 강호의 생존 논리가 되어 버린 지 오래다. 그것은 워낙 강고하게 기존의 학계에 뿌리를 내리고 있어 이미 고황이 되어 버려 아무도 그로 인해 아픔을 느끼지도 않거니와 설사 아픔을 느끼더라도 이미 빈사에 이른 학문 세계를 일으켜 세울

---

40) '긴고(緊箍)'는 천방지축으로 날뛰는 쑨우쿵(孫悟空)을 통제하기 위해 그의 머리 위에 씌워놓은 테이다. 삼장법사가 '긴고(緊箍)의 주문(呪文)', 곧 '긴고주(緊箍呪)'를 외우면 그 테가 쑨우쿵의 머리를 조여 맥을 못 추게 하는 것이다.

엄두가 안 나는 것이다. 그러므로 이에 대한 이야기는 지하로 잠입해 그런 일도 있었다더라는 식의 야사가 되기도 하고 전설이 되기도 한다.

한편 학위 논문 심사를 둘러싸고 들리는 아름답지 못한 풍문 가운데 하나는 그 냄새가 워낙 고약한지라 아무도 입에 올리려 하지 않는 '접대'의 문제이다. 학위 논문 심사 과정에서 이루어지는 '접대'는 작게는 '저녁 식사'로부터 바쁘신 가운데 오가느라 고생하신 데 대한 대가라 할 '거마비'까지 여러 가지 형태가 있다. 사려 깊으신 심사위원님들은 아직 대학에 자리를 잡지 못한 제자들의 주머니 사정을 고려해 이미 현직에 있는 논문 제출자들과 '식사 대접'의 수준과 '거마비'에 차등을 두는 인정을 베푸는 여유도 있어 과부 집 달라 빚이라도 내서 학위과정을 마쳐야 할 가난한 제자들을 감읍케 하는 일도 있다. 약한 자여! 그대 이름은…….

> 학위 과정 중에 있는 학생들은 교수들을 잘 접대해서 「착실한」 학생임을 증명 받아야 따돌림을 받지도 않고 순조롭게 졸업할 수 있었다. 노력이나 재주에 관계없이, 「접대」를 제대로 못하면 차후에 돈과 지위로 통하게 될 채널에서 영영 쫓겨나는 것은 물론 졸업의 전망조차 불투명해졌다. 지도 교수가 은밀히 앓고 있는 치질, 성병, 혹은 심지어 조루(早漏)를 발설하는 학생은 그 날로 끝장이었다.……자연히, 접대할 돈으로 책을 사고 인사치레할 시간에 글을 쓰는 학생들은 교수들의 눈 밖에 나게 되었고, 대다수의 학생들은 교수들의 시선에서 떨어지지 않으려고 무던히도 애썼다. 충량(忠良)하지만 머리가 좀 모자란 학생들은 자신들의 지도교수를 더욱 즐겁게 해드릴 심산이었는지, 지도교수를 넘어서 외국에 유학하거나 다른 대학에서 학위를 마친 동료들을 「전과

> 자」라는 명칭으로 불러댔다. 거푸 네 번이나 논문 심사에 떨어진 후 대접할 돈마저 구하지 못한 어느 학생은 약을 먹고 목숨을 끊은 일도 있었다.[41]

그러니 무사히 별 탈 없이 학위를 취득하자면 자신의 인생관과 세계관을 모두 무화시키고 철저하게 마음을 비울 수밖에. 진정 이 땅에서 학위 논문을 쓴다는 것은 모진 놈 때려죽여 말 잘 듣는 자동인형을 만들어나가는 과정이 되어버렸는지도 모른다.

> 학위 과정을 이수해 본 사람이라면 이러한 지적을 가슴 깊이 공감할 수 있으리라고 본다. 형식성을 빌려 권위를 세우는 심사, 그 심사를 통과하기 위해서 논문이라는 형식성과 공모해야만 하는 학생들의 허위의식은 이제는 공공연한 비밀이다. 이 땅에서 시행되는 논문쓰기라는 형식은 학자의 문턱에 서성이고 있는 학생들을 지배하기 위한 기존 학자들의 통제 장치로 전락한 느낌이 들 정도이다. 누구나 인상을 찌푸리면서 통과 의례를 치르지만 일단 통과하기만 하면 못 본 체하는 재래식 변소 같은 것, 바로 이것이 그들이 숭배하는 논문인 것이다. 다소

41) 김영민, 「기지촌의 지식인들」, 『탈식민성과 우리 인문학의 글 쓰기』, 서울: 민음사, 1996, 86쪽.
참고로 글쓴이가 알고 있는 바에 의하면, 우리의 이웃인 타이완에서는 석사 논문이건 박사 논문이건 심사는 엄격하게 하지만, 우리 식의 식사 대접이나 이런 것은 없고, 다만 논문 심사가 완전히 끝나 논문 통과가 확정되는 날 지도교수가 자신의 집으로 초대하거나 자기가 돈을 내서 밖에서 저녁 한 끼 먹는 것으로 끝난다. 우리의 관행에 대해 글쓴이가 개인적으로 사람들을 만나 물어보면 누구나 그것이 잘못된 일이라는 데 공감을 하면서도 이제까지 그래왔는데 어떻게 그 현실을 벽을 깰 수 있겠느냐는 식으로 말을 맺곤 한다. 우리의 스승들은 제자들을 위해 자기 호주머니를 털어 저녁 식사 자리 한번 가질 만한 애정을 갖고 있지 않단 말인가? 그 정도 애정도 없다면 거꾸로 그들에게 무언가를 기대하지도 말 일이다. 제자들의 일방적인 존경만을 요구하는 것 자체가 시대착오인 것이다. 제자들이 무슨 봉이라도 된단 말인가?

심하게 평하자면, 현재 이 땅의 대학에서 시행되고 있는 논문 제도는 「논문의 학문성」보다는 오히려 「논문이라는 학문성」을 따지기 위한 방식으로 타락하고 있는 듯하다.[42)]

5.

중언부언하다 보니 그럭저럭 꽤 멀리 온 것 같다. 이제 들뜬 감정도 차분히 가라앉히고 주위를 다시 돌아볼 시간이 된 것이다. 글을 마무리하면서 다시 한 번 의문을 던져본다. 우리에게 학문은 무엇인가? 우리는 학위 논문을 왜 쓰는 것일까?

> 우리는 왜 글 쓰기를 하는가? 무엇 때문에 학술논저를 내는가? 석박사 학위를 얻기 위하여? 승진과 재임용을 위하여? 그런 과정을 다 거친 사람들은 그저 습관적으로? 학자입네 하는 권위를 세우기 위하여? 유희 삼아? 장난삼아? 과연 우리에게 있어서 글 쓰기란 이처럼 여유작작한 지적 놀이일 수 있는가? 그것은 과연 형식과 관문 앞에 바치는 연중의 행사요, 제사에 지나지 않는가? 과연 그것이 다인가?[43)]

물론 그렇지는 않을 것이다. 우리 스스로가 제사장이 되어 참여하는 제의가 어찌 그런 세속적인 의미에만 묶여 있을 것인가? 하지만 너무도 지고한지라 중인(衆人)들의 무분별한 환시(環視)가 불경스럽게 느껴져서일까? 우리는 자신의 논문에 대한 주위 사람들의 왈가왈

---

42) 김영민, 「논문중심주의와 우리 인문학의 글 쓰기」, 『탈식민성과 우리 인문학의 글 쓰기』, 서울: 민음사, 1996. 28쪽.

43) 김정근, 앞의 글, 86쪽.

부에 대해 지나칠 정도로 예민하게 반응하기도 한다.

> 한가지 분명한 것은 '학관'들과 그들의 '가엾은 아이들'은 남의 논문을 잘 읽지 않는다는 사실이다. 아니 거의 읽지 않는다고 말해도 무방할 것이다. 자신이 논문을 쓸 때에 자신의 주제와 관련된 논문들을 챙겨놓고 그때서야 읽을 뿐이다. 모두 다 그런다고 말할 수는 없겠지만, 대부분 그런다고 보아도 무방하다. 왜? 논문은 '재래식 변소 같은 것' 또는 '헌법 조항 같은 글'이기 때문이다. 자기도 알고 남도 알고 모두가 다 알고 있는 뻔한 소리에 형식의 갑옷을 입힌 그 근엄한 글을 무슨 재미로 읽는단 말인가?[44]

서로가 앞만 바라보고 있다. 아무도 옆을 보려 하지 않는다. 아무개가 글을 한 편 썼다는 것은 머나먼 풍문으로 치부해야 하고, 공개적인 자리에서 비판이나 칭찬이 이루어지는 것은 서로가 열쩍은 일이 되어 버렸다. 전깃줄에 나란히 앉아 있는 참새들처럼 일렬로 나란히 앉아 자기 옆에 있는 사람이 누구인지는 눈치로 알고 있지만 그닥 쳐다보려 하지 않는다. 우리는 우리가 아닌 대상만을 바라보고 있는 것이다. 푸코를, 데리다를, 제임슨인지 제이미슨인지를……[45]

무엇이 그렇게도 두려운가? 남들이 자신의 논문에 대해 이러쿵저러쿵 이야기하는 것을 두려워한다. 아니 핏대를 세운다. 식민지 백성의 불쌍한 정조이다. 내지(內地)의 지도교수에게 당한 기억이 너무 강해서일까? 이 정도면 일종의 신경증이라고 해야 할 것이다. 아니

---

44) 강준만, 앞의 책, 292쪽.

45) "데리다의 책은 우리가 원하는 것을 주고 있을까? 아니면 우리가 괴로울 때 꺼내 보는 숨겨 둔 보석이나 실크 블라우스일까?" (조혜정, 「문화적 자생력 기르기」, 『열린 지성』 제3호, 1997 겨울. 52쪽.)

면 정신적 외상?[46] 떳떳하지 못할 게 무엇이고, 감출 게 무언가? 그야말로 손바닥으로 해 가리기 아닌가? 그럴 양이면 무엇 때문에 논문을 발표했는가? 자기 혼자 보고 즐길 일이지. 그것은 오만이다. 비판하는 상대방을 의식해서가 아니라 자기기만이다. 그리고 나르시즘이다. 그러한 학문이 걸어야 할 길은 뻔하다.

> 그러나 그들은 대체로 외제의 주(註)를 주렁주렁 달고 있는 논문 한 편, 그것도 논문중심주의와 원전 중심주의의 강박에 휩싸인 채 자신의 몸을 숨기면서 씌어진 논문 한편을 연중행사처럼 바치는 것으로써 한 해의 심오함을 마무리할 뿐이다. 글과 뜻의 긴장 사이에 개입한 학문 실존의 역사와 그 책임은 아무래도 잘 보이지 않는다.[47]

그렇게 해서 나온 논문이 걸어야 할 길도 뻔하다.

> 나의 실망은 컸다. 상식으로도 뻔한 내용을 가설이라고 세워 놓고는 요란한 설문과정과 통계처리과정을 거쳐 증명인지 뭔지를 하고 있는 경우가 다반사였다. 처음부터 끝까지 서양의 문헌을 짜깁기하는 것도 통상 있는 일이었다. 서양의 문헌을 우리 현실에다 대입하여 맞는지 틀리는지를 알아보는 경우도 많았다. 논제와 문제제기 자체를 아예 서양문헌에서 빌어온 것으로 의심이 가는, 그래서 우리 현실에서는 절박성이 그다지 없는 경우도 눈에 많이 뜨였다.[48]

---

46) "기지촌 양공주들의 몸을 위한 약은 마이신이지만, 기지촌 지식인의 정신을 위한 약은 「허위 의식」이라는 좀 묘한 놈이다. 허위의식이란 삿된 방식으로 정당화된 신념의 콤플렉스라고 정의할 수 있다." (김영민, 「기지촌의 지식인들」, 『탈식민성과 우리 인문학의 글 쓰기』, 서울: 민음사, 1996. 68쪽.)

47) 김영민, 「글 쓰기·인문학·근대성」, 『열린지성』 제3호, 1997 겨울. 72쪽.

48) 김정근, 앞의 글, 84쪽.

그래서 우리에게는 진지한 토론의 역사가 부재했는지도 모른다. 어차피 아프지도 않은데 신음 소리를 내야 하는 억지춘양식의 남의 다리 긁는 일이 되어버릴 것을 무엇 때문에 따지고 든단 말인가? 별시답지 않은 것 갖고 목에 핏대 세우는 것은 저자거리의 장사치들이나 할 짓이고, 모름지기 인의군자라면 은인자중할 줄 알아야 하는 것 아니겠는가? 어허, 그러고 보니 뭔가 낌새가 수상쩍다. 예전에 그 많던 상놈들은 다 어디로 갔을꼬?

그러나 지식인이란 무엇인가? 아프지 않은 데도 신음 소리를 내는 것이 아니라, 그 아픔이 전신으로 번져 손을 쓸 수 없을 정도가 되기 전에 아프다고 이야기하는 게 역사적으로 지식인에게 주어진 임무와 사명이 아니었던가?

> 지식인의 일차적 자격 조건은 비판이기 때문에 지식 계에서 비판의 제기는 필수적이다. 그러나 한국의 지식 계에서는 그 비판의 수위마저 조절되고 있다. 즉 이익 유대 공동체의 안위를 해칠 수 없다는 것이 상한선이다. 그 결과 현실적 효과를 나타내지 못하는 도덕군자적으로 이상화된 추상적 비판만이 횡행한다. 언론의 추적-고발성 보도들도 근본적인 유대 구조를 다치지 않아야 한다. 여기에 크고 작은 사회문제의 진단과 토론에 동원되는 전문가 집단도 마찬가지다. 부실 건설, 관료 부패, 금융 부조리, 교육계 부조리 등등 수많은 문제가 제기되고 비판되지만, 그러한 문제들에 관련된 구성원이 속해 있는 이익의 유대망은 다쳐서는 안 된다. 문제가 삐져 나올 때는 전지가위로 정원수 다듬듯 위로 드러나는 부분만 살짝살짝 잘라주어야 한다. 뿌리와 줄기가 썩고 있는 것을 노출시켜서는 안 된다. 모두들 그 썩는 즙을 달게 핥아 먹고 살아야 하기 때문이다. 책임 있는 사람들은 광고 문안같이 간결한 말의 유희로 문제의 핵심을 피해가고, 또한 광고 문안 같은 도발적

> 발언들은 광고 효과만큼 빠르게 대중 속으로 흡수되어 사라진다. 이제 이 사회에 책임질 사람은 아무도 없다. 다만 '우리'의 이익이 있을 뿐이다. 끼리끼리 뜯어먹자 판이다.[49)]

그렇다! 우리의 학문이란 것도 그런 게 아닐까? 오늘 우리에게 일용할 양식을 주는 고마운 신. 우리는 그 신 앞에 무릎 꿇고 앉아 한없는 은혜에 경배를 드리는 아뉴스 데이(신의 어린 양들).

이 시점에서 한 벽안의 의사가 자신을 향해 내뱉었던 사자후가 떠오른다.

> 우리는 보통 사람들의 건강 유지를 위해 일하는 사람들을 의사라고 부르지. 그러나 이러한 개념대로 실천하고 있는 의사들이 도대체 얼마나 되겠소? 그렇다고 그것이 의사들만의 잘못이라는 이야기는 아니오. 아니지. 그렇게 생각하면 정말 잘못이지. 우리는 모두들 어느 도시 어느 거리에서도 상수도, 하수도, 오물수거, 전기공급 같은 서비스들은 당연한 일로 생각하오. 그런데 의료 서비스에 대해서는 그렇게들 생각하지 않는다오. 그것이 바로 문제요. '건강의 권리' 이것이 무시되고 있단 말이오. 따라서 사람들은 이 의료 서비스를 가게에서 통조림을 사듯 구입하는 것이라오. 몇 달러 몇 센트를 주면서 말이오. 병원이라는 것들이 그런 장사를 하면서도 거들먹거리는 거야. 그러니 양복점하고 다를 게 뭐가 있겠소? 재봉사가 헌 코트를 수선해주는 식으로 우리 의사들도 팔다리를 수선해주고 있을 뿐이지. 이것은 분명 본래의 정신에 맞게 의학을 실천한다고 볼 수가 없소. 그저 장사를 하고 있을 뿐이오. 따라서 새로운 의료개념, 보편적 보건개념, 새로운 의사개념이 정립되어야 한다고 생각하오.[50)]

---

49) 임상우, 「비판적 지성과 책임의 윤리」, 『문학과 사회』, 94년 겨울호. 146-147쪽.

글쓴이 자신도 잠시 할 말을 잊게 된다. 무슨 할 말이 있겠는가? 작은 이익에 연연해하고 사소한 데 감동하고 그랬지만 정작 아파해야 할 대상에 대해서는 침묵으로 일관하지는 않았는지…… 사람 좋은 웃음이나 흘리고 다니면서 자기를 둘러싸고 이루어지는 세설(世說)들에 귀를 쫑긋 세우고 마음 조렸던 적은 있지 않았는지…….

6.

여기까지 글을 써 내려 오다 보니 지리멸렬하게 끌어오던 텔레비전 연속극을 어떻게 마무리해야 할지 모르는 작가처럼 가닥이 잡히질 않는다. 신이 오른 무당이 작두 위에서 갖은 사설들을 퍼부어대듯 수많은 비판의 말들을 쏟아냈지만 정작 수습이 어려운 것이다. 흔히 하는 말로 그래서 어쩌자는 건데? 이제 바야흐로 작두에서 내려올 때가 된 것이다.

우선 밝혀두어야 할 것은 이 글이 무슨 논문 폐기론 정도로 읽혀서는 안 된다는 것이다. 글 쓰기에는 그 나름의 역사성이 있다. 흔히들 명청(明淸) 시대의 팔고문(八股文) 하면 기계적으로 튀어나오는 말들이 있다. 팔고문은 명청(明淸) 시대에 과거시험을 보기 위해 문인들이 익혔던 문장의 형식으로 전통적인 유가(儒家)의 경전들에 대한 주시(朱熹)의 해석을 정해진 문장 격식에 따라 서술하는 것이다. 따라서 입신출세를 목표로 한 당시의 학자들은 누구나 팔고문(八股文)을 익혀야 했다. 그러나 과거에 급제하기가 그리 쉬웠겠는가? 요즘

---

50) 테드 알렌, 시드니 고든, 『닥터 노먼 베쑨』, 서울: 실천문학사, 1991, 112쪽.

고시가 어렵다고는 하지만, 온 나라 사람들이 모두 고시에 매달리는 것은 아니지 않는가? 그렇기 때문에 입신출세의 유일한 길인 과거 시험은 글줄이나 읽었다는 선비들은 모두 참여하는 그야말로 국가적인 대사였다. 그렇게 치열한 경쟁을 뚫고 과거 시험에 급제해 관도에 들어선다는 것은 시쳇말로 하늘의 별따기 만큼이나 어려웠을 것이다. 그러니 당시에는 사람마다 글공부, 팔고문 익히기에 여념이 없었다. 그런 의미에서 후대의 사가들은 팔고문이 당시 지식인들의 비판의식을 마비시키는 사상적인 족쇄 역할을 했다고 비판한다. 그러나 현재의 시점에서는 보다 냉정하게 팔고문을 평가할 필요가 있다. 팔고문이 수백 년 간이나 지속될 수 있었던 데에는 모름지기 그에 합당한 이유가 있었을 것이며, 그 점에 대한 조명도 부정적인 평가와 동시에 이루어져야만 팔고문의 실체를 제대로 밝혀낼 수 있는 것이다. 팔고문은 명청이라는 시대적 역사적 산물이기에 그것은 그 나름의 잣대로 평가될 필요가 있다.

마찬가지로 우리 시대의 논문 양식은 그 나름의 역사적 의의를 지니고 있는 것이다. 우리가 지나치게 서구를 숭배하고 그 앞에서 주눅 들어 할 필요는 없지만, 그렇다고 해서 일방적으로 서구 중심의 사고 체계와 그 형식적 틀인 논문에 대해서 일방적으로 매도하고 비판해서도 곤란하다. 그러한 형식의 글이 갖고 있는 긍정적인 기능과 현실적인 의의가 분명히 있을진대, 그것을 일방적으로 무시하는 것 역시 독단이 될 것이다.

> 이 글이 백안시하는 것은 논문중심주의이지 논문이 아니다.……논문중심주의에 대한 비판은 논문이라는 형식 자체를 일방적으로 부정하자

> 는 것이 아니라, 논문이라는 형식성이 학문성을 전유할 수 있다고 믿는 허위 의식과 강박 그리고 이를 가능케 만든 문화 역학을 교정하자는 발상이다.[51]

인문학 연구에서 이러한 허위의식과 강박을 깨는 가장 효율적인 도구는 당연하게도 가열찬 비판정신이다. 비판이 제대로 이루어지지 않는 곳에서는 적당한 타협과 서로의 눈속임이 있을지언정 문제를 제기하고 그것을 해결하려는 노력은 발을 붙이기 어렵게 된다. 그리고 앞서 말한 '끼리끼리 서로를 뜯어먹고 사는 먹자판'만이 우리 앞에 펼쳐지게 된다. 우리는 다만 눈을 질끈 감기만 하면 되는 것이다.[52] 비판과 토론이야말로 우리의 머리 위에 들씌워져 있는 '긴고(緊箍)'의 테를 깨는 유일한 방법일 터이다.[53] 그런 의미에서 글쓴이는 때로 '다수결'이라는 이름으로 이루어지는 '다수결의 횡포'와 '중우정치'의 폐해가 심히 걱정스러울 때가 있다.

> 우리는 '다수결'로 결정을 내리는 것을 매우 좋아한다.……그것은 자체 내에서 합의를 이루어낼 수 있다는 가능성을 미리 포기했기 때문에 성급하게 이루어내는, 공동체의 부재에서 비롯하는 행동이며 관습이

---

51) 김영민, 「논문중심주의와 우리 인문학의 글 쓰기」, 『탈식민성과 우리 인문학의 글 쓰기』, 서울: 민음사, 1996. 23쪽.

52) 한 동네에서 똑같이 가난하게 살던 두 사람 가운데 한 사람이 돈을 많이 벌었다. 다른 한 사람이 그에게 가서 물었다. "자네는 어떻게 해서 그렇게 돈을 많이 벌었나?" 그가 말했다. "한 십년 동안 돼지처럼 살게나." 다른 사람이 또 물었다. "그 다음엔?" 그가 대답했다. "그 다음엔 아주 간단하네. 이미 돼지가 되어버렸으니까."

53) 하버마스는 '의사소통적 합리성'이라는 개념을 진리와 사회 비판의 준거로 삼고 자신의 논지를 펼쳐 보인 바 있다. 그가 말한 '의사소통적 합리성'이란 이해 당사자들이 서로 대립되는 현안에 대해 시간의 구애를 받지 않고 발언의 기회를 고루 부여받아 결론이 날 때까지 토론을 해보는 것을 가리킨다.

> 다. 다수결의 법칙은 실은 공동체를 만들어 갈 사고력, 대화의 근거를 마모시키는 악순환의 고리였다.……토론이 억제된 사회에는 두 종류의 소리가 있을 뿐이다. 외부에서 온 권위적 목소리와 '웅성거림'이 그것이다.[54)]

그 결과 홀로 자립하지 못하는 식민지 백성들이 필요로 하는 것은 "자신의 경험에서 오는 지식보다는 권력을 가져다 주는 남들이 만들어 낸 '큰 이야기'"이거나 "통성기도"인 경우가 많은 것이다.[55)]

그러므로 논문이라는 글 쓰기에 있어 중요한 것은 논문의 주체를 세우는 일일 것이다. 그것은 논문이라는 양식의 글이 "객관적인 지식을 중립적으로 전달하는 소극적 매개가 아니라, 특정한 종류의 인식을 특정한 종류의 지식으로 만들어 특정한 편향과 함께 구성하는 적극적 주체"[56)]이기 때문이다. 동시에 논문의 주체는 합리적인 주체이기도 하다.

> 논문의 주체를 합리적인 주체로 전제하는 것이 이데올로기로 작용할 수 있는 것은 논문양식에 이 전제를 드러내지 않고 당위의 형태로 탈바꿈시켜 인위적인 것을 자연적인 것으로 받아들이게 하는 기제가 작용하기 때문이다.……논문양식이 논문의 주체를 합리적인 주체로 위장한다는 것을 보여주는 가장 좋은 예는 논문에서 논문의 주체를 일인칭 대명사 '나'로 지칭하는 것이 기피된다는 사실이다.……그러나 논문양식은 그 생략을 통해서 주관적 주장을 객관적 논증으로 격상시킨다.……'학문적이고 과학적이고 객관적인 주체'로만 보더라도 논문의

54) 조혜정, 앞의 글, 43쪽.
55) 조혜정, 앞의 글, 44쪽.
56) 심광현, 앞의 글, 37쪽.

주체는 국지적인 입장에 서있을 뿐인데, 논문의 양식은 이 국지성을 드러내지 않고 숨겨버린다.……따라서 논문주체는 '일상적이고 개인적이고 주관적인 주체'로서 가져야 하는 특정한 이념과 복수적이고 때로 모순적이기도 한 이념에서 완전히 벗어나 있지 않고, 그 이념이 허용하는 입장과 분리되어 존재하지 않는다. 그러나 '나'의 사용을 금지하는 논문양식은 논문주체가 '학문적이고 과학적이고 객관적인 주체'라는 전제를 당위로서 강용하면서, 실제로 그것이 국지적이고 이념적인 입장에서 나온 것이라는 사실을 억압하고 은폐한다.[57)]

그러므로 무엇보다 중요한 것은 논문을 쓰고 있는 주체의 확립이고, 그러한 주체의 확립을 통해서 우리 학문 활동의 주요 무대인 논문이라는 형식의 글은 학문적 실천으로 승화될 것이다. 이 글에서 글쓴이가 주장하고자 하는 것은 그러한 학문적 실천이 꼭 논문이라는 형식으로 규정될 필요는 없다는 것이다. 역으로 이것은 "논문을 어떻게 정의하고 어떤 양식으로 쓸 것인지를 선택하는 일"[58)]이기도 하다. 글쓴이는 그것을 대안 논문이라는 이름으로 부르고자 한다.[59)] 이러한 대안 논문의 내용은 다음과 같은 것이 될 수 있을 것이다.

논문에 연구의 결과를 제시할 뿐 아니라 그 연구를 가능하게 한 여러 전제들을 함께 보여주는 것이 한 가지 방법이 될 수 있다. 논문이 어떤 시각에 의해 쓰이고 어떤 현실적 맥락을 가지고 있으며, 어떤 이념을 전제하고 어떠한 전략적 목적을 가지고 있는지 등에 대한 메타

---

57) 신광현, 앞의 글, 16-17쪽.

58) 신광현, 앞의 글, 36쪽.

59) 이 말은 참교육을 지향한 "대안 학교alternative school"나 기존의 의학에 대한 불신에서 나온 "대체 요법alternative therapy"과 동일한 의미를 갖고 있다.

논평을 논문의 내용에 포함시킴으로써, 논문구성이 표방하는 합리성이 보편적으로 유효한 것만은 아니라는 것을 드러내줄 필요가 있다.[60)]

진리의 세계로 가는 길이 어찌 외길뿐이겠는가? 삼라만상 어느 것 하나 소중하지 않은 것이 없을진대, 무심해 보이는 우수마발(牛溲馬勃)도 나름의 우주적 질서를 가지고 있는 것. 인간이 제 분수를 모르고 무지와 아집에 사로잡혀 독단에 빠질 때 이미 파국의 길로 크게 한 걸음 내딛게 되는 것인지도 모를 일이다. 이상한 일이다. 왜 꼭 그런 겸허함은 '회재불우(懷才不遇)'의 '발분저서(發憤著書)'로부터 배우게 되고, "날씨가 추워진 뒤에야 소나무와 잣나무가 뒤늦게 잎이 진다는 것을 알게 되는 것"[61)] 일까?

강가에서

김수영

저이는 나보다 여유가 있다
저이는 나보다도 가난하게 보이는데
저이는 우리집을 찾아와서 산보를 청한다
강가에 가서 돌아갈 차비만 남겨 놓고 술을 사준다
아니 돌아갈 차비까지 다 마셨나보다
식구가 나보다도 일곱식구나 더 많다는데
일요일이면 빼지 않고 강으로 투망을 하러 나온다고 한다
그리고 반드시 4킬로가량을 걷는다고 한다.

---

60) 신광현, 앞의 글, 18쪽.

61) "歲寒然後, 知松栢之後彫也." (『논어』「자한」편)

죽은 고기처럼 혈색없는 나를 보고
얼마전에는 애 업은 여자하고 오입을 했다고 한다
초저녁에 두 번 새벽에 한 번
그러니 아직도 늙지 않지 않았느냐고 한다
그래도 추탕을 먹으면서 나보다도 더 땀을 흘리더라만
신문지로 얼굴을 씻으면서 나보고도
산보를 하라고 자꾸 권한다

그는 나보다도 가난해 보이는데
남방샤쓰 밑에는 바지에 혁대도 매지 않았는데
그는 나보다도 가난해 보이고
그는 나보다도 짐이 무거워 보이는데
그는 나보다도 훨씬 늙었는데
그는 나보다도 눈이 들어갔는데
그는 나보다도 여유가 있고
그는 나에게 공포를 준다

이런 사람을 보면 세상 사람들이 다 그처럼 살고 있는 것같다
나같이 사는 것은 나밖에 없는 것같다
나는 이렇게도 가련한 놈 어느사이에
자꾸 자꾸 小人이 돼간다
俗돼간다 俗돼간다
끝없이 끝없이 동요도 없이

『중국어문학론집』 제10호, 서울: 중국어문학연구회. 1998.8.

학술 논문 글 쓰기에 대한 반성과 모색

1. 글 쓰기의 어려움

사람들은 항용 글을 쓰는 것과 관련해 다음과 같은 생각을 갖고 있는 듯하다. 그것은 글을 쓰는 것과 말하는 것은 다르며, 나아가 글 쓰기가 말하기보다 어렵다는 것이다. 과연 평소 청산유수로 말을 풀어 가는 사람이라도 한 줄의 편지글을 쓰기 위해 날밤을 새울 수도 있지만, 이와 반대로 눌변인 사람이 폭포수가 쏟아져 내리듯 거침없고 유려한 장문의 글을 쓸 수도 있다.

그래서 어떤 이는 '말의 논리'와 '글의 논리'가 다르다고 주장하기도 한다. 곧 "말의 논리는 본능적이고 즉흥적이지만, 글의 논리는 이성적이고 논리적"이며, "말은 생각나는 대로 하는 것이지만 글은 생각하면서 쓰는 것이고, 말은 생각하면서 할 수 있지만 글은 생각을 짜내어 써야 한다"는 것이다.[1] 우리가 말을 할 때는 그냥 머릿속에서 생각나는 대로 내뱉어버리지만, 글을 쓸 때는 뭔가 조리가 서도록 심사숙고를 하게 된다. 따라서 글이란 생각을 표현하는 것이고, 훌륭한

1) 남영신, 『문장비평-글 쓰기 잘하는 민족을 위한 시론』, 서울: 한마당, 2000년, 38쪽.

글을 쓰기 위해서는 뛰어난 사고력이 요구된다고 할 수 있다.

그리하여 사람들은 글 쓰는 것 자체에 대해 두려움을 넘어서 공포심마저 갖고 있는 경우가 많다. 베커는 이러한 두려움을 다음과 같이 두 가지로 구분한 바 있다.

> 첫 번째는 그들이 자신의 사고를 조직화하지 못 할지도 모른다는 두려움이었고, 두 번째는 글 쓰기가 매우 당황스러운 엄청난 혼란을 야기시켜서 자신을 미치게 할지 모른다는 두려움이었다.[2)]

과연 이 같은 두려움은 글을 쓰는 사람이라면 누구나 가질 수 있는 일반적인 것이라 할 수 있다. 베커는 여기에서 한 발 더 나아가 이러한 글 쓰기의 어려움은 다음과 같은 두 가지 태도에서 기인한다고 했다.

> 하나는 글의 시작에 관한 것이고, 다른 하나는 어떤 방식으로 글을 조직화하는가에 대한 것이다.[3)]

어찌 글 쓰기 뿐이겠는가? 무릇 세상사는 모두 그 첫 땅띔이 어려운 것이니, 누구라도 맨 처음 시작은 어색하고 종종 갈피를 잡을 수 없게 마련이다. 그런데 문제 해결의 실마리는 그 문제 자체에서 찾을 수 있는 경우가 왕왕 있으니, 글 쓰기 또한 마찬가지이다. 결국 문제 해결의 가장 빠른 길은 그것을 정면 돌파하는 데 있는지도 모

2) 하워드 S. 베커(이성용, 이철우 옮김), 『사회과학자의 글 쓰기』, 서울: 일신사, 1999. 29쪽.

3) 하워드 S. 베커, 앞의 책, 86쪽.

른다.

흔히 연습은 실전처럼 실전은 연습처럼 하라는 말이 있다. 글을 쓸 때도 이런 태도를 견지한다면 글 쓰기가 더 이상 우리를 괴롭히는 고역이 안 될 수도 있다. 그러므로 글을 쓸 때도 어깨의 힘을 빼고 쉽게 접근할 필요가 있다.

움베르토 에코는 그런 의미에서 글을 쓰는 이들에게 다음과 같이 권하고 있다.

> 머리 속에서 떠오르는 것은 모두 쓰라. 그러나 첫 번째 과정에서만……[4)]

에코의 이 말은 글을 쓸 때는 어떻게 시작해야 하는가 하는 것을 아주 적실하게 보여주고 있다. 곧 글을 시작할 때는 오히려 가벼운 마음으로 머리에 떠오르는 생각들을 바탕으로 그냥 두서 없이 자판을 두드리라는 것이다.

한편 사람들이 글을 쓰는 것은 "어떤 사적인 동기(자신의 사고들을 질서 지우기), 그리고 어떤 정치적 동기(다른 사람들에게 정보를 제공하기)"[5)]라고 하는 두 가지 근본 동기 때문이라고 한다. 어느 쪽이든 글을 쓰는 사람은 자신의 생각을 설득력 있게 보이고 싶어하는 동시에, 자신의 약점이 남들에게 노출될까 두려워하는 경향이 있다. 그래서 처음 시작이 어려운 것이다. 하지만 이런 이들에게 에코는 다시 말한다. "졸업논문은 처음에 제기한 주장을 증명하려고 쓰는 것

---

4) 움베르토 에코(이필렬 옮김), 『논문 어떻게 쓸 것인가』, 서울: 이론과실천, 1991. 211쪽.
5) 빌렘 플루서(윤종석 역), 『디지털 시대의 글 쓰기』, 서울: 문예출판사, 1998. 167쪽.

이지, 우리가 모든 것을 안다는 것을 보이기 위해 쓰는 것은 아니다."[6] 여기에서 에코는 졸업논문이라고 특정했지만, 어찌 그뿐이겠는가? 무릇 모든 글 쓰기는 에코가 말한 것과 크게 다르지 않다고 할 수 있다.

이것은 달리 말하면 '가장 쉬운 것부터 하라'는 말로 바꿀 수 있다. 곧 자신이 가장 자신 있는 부분부터 시작할 수도 있다는 것이니, 이를테면 학술 논문인 경우에는 꼭 서문이나 1장부터 시작하는 것을 고집하지 않아도 된다는 것이다. 모든 것을 반드시 처음부터 시작해 끝을 봐야만 하는 것은 아니니, 그런 의미에서 맨 나중에 머리말을 쓸 수도 있다. 많은 경우 그렇게 하다 보면 처음에는 의도하지 않았던 뜻하지 않은 방법이나 길이 생길 수도 있는 것이다.

아울러 글 쓰기를 이렇듯 가벼운 마음으로 아무 글이나 되는 대로 쓰다 보면, 그동안 두려워했던 것과 달리 글을 쓰는 일이 그다지 어려운 일이 아니라는 사실을 깨닫게 되기도 한다. 그러므로 글 쓰기를 시작하는 사람은 무엇보다 글 쓰기를 두려워해서는 안 된다. 왕도는 없다. 많은 글을 쓰는 가운데 남의 글을 부지런히 찾아 읽는다면 글 쓰는 일 자체가 그리 어렵게만 느껴지지는 않을 것이다.

2. 학술 논문이란 무엇인가?

2-1. 담론으로서의 논문

그런데 글이라고 모두 똑같은 것은 아니니, 인문학이나 사회과학

---

6) 움베르토 에코, 앞의 책, 211쪽.

의 경우 글을 쓰는 행위는 일종의 담론적 가치를 가지는데, 이때 담론이란 '권력화 된 말의 흐름과 쓰임'을 가리킨다고 할 수 있다. 철학자 푸코는 지식을 권력과 연계시킨 대표적인 인물로, 그에 따르면 서양 근대화의 합리화 과정은 정치나 성행위에 대한 금제로 대표되는 '금지'와 사물을 '구분'한 뒤 '선별'하여 어느 한 쪽을 '거부'하는 것이다. 이 과정에서 권력이 만들어지게 되고, 이러한 권력은 지식에 의해 가장 효과적으로 운영되고 창출되게 된다. 따라서 이러한 지식을 담아내는 그릇이라 할 수 있는 논문은 권력을 생성하는 대표적인 담론 체계라 할 수 있다.

이렇듯 논문은 단지 자신의 생각을 담아내는 도구나 수단으로서의 의미를 벗어나 현실 권력을 창출해내는 실천적 기제로 작용한다. 따라서 "논문을 담론으로 본다는 것은 우선 그것이 자연스럽고 중립적인 글의 양식이 아니라 역사적으로 생성되고 인위적으로 구성된 글의 양식임을 인식하는 것을 의미한다. 담론으로 보는 논문은 당연하게 주어진 글의 양식이 아니라 특정한 과정을 거쳐 만들어졌으며 특정한 방식으로 짜여진 글의 양식이며, 고정된 실체를 가진 것이 아니라 가변적이며 항상 변화하는 과정 속에 놓여 있는 글의 양식"7) 인 것이다.

2-2. 과학적 또는 학문적 논문이란?

이렇듯 지배 권력을 생성해내는 담론으로서의 논문이 하나의 제도로서 현실적인 힘을 가지게 되면, 앞서 푸코가 말한 대로 특정한

7) 신광현, 「대학의 담론으로서의 논문―형식의 합리성에 대한 비판」, 『열린지성』 제3호, 1997 겨울. 11쪽.

지식과 인식을 구별하여 그것을 배제하게 된다. 동시에 논문이 담아내는 지식의 성격을 규정하는 제도적 힘에 대한 관심 못지않게 중요한 것은 논문의 내적 구성의 원리가 허용하고 차단하는 지식의 성격이다.[8)]

학술 논문이 추구하는 지식의 성격은 대개 과학적, 또는 학문적이라는 말로 규정되는데, "합리성에 기반을 두는 논문은 인간과 사회에 대한 객관적 접근과 논리적 표현을 가능하게 하지만, 동시에 결국에는 그것에 대한 경험적이고 실증적인 지식만 정당한 것으로 인정하고 허용하기 마련이다." 그런 까닭에 "합리성을 기본 이념으로 하는 논문양식이 꼭 필요한 것이라는 데에는 이론(異論)을 달기 어려울지 모르지만, 인문학이나 사회과학에서 위와 같은 구성원리를 갖는 논문이 유일한 혹은 최적의 양식인지는 검토해볼 필요가 있"게 되는데, 그것은 "합리성을 기본원리로 하는 논문양식이 인간과 사회에 대한 일정한 이해를 가능하게 해주는 면이 있지만 다른 방식의 이해를 구조적으로 차단할 수도 있기 때문이다."[9)]

그렇기 때문에 학술 논문이 과학적이고 학문적이어야 한다는 통념에 대해 이의를 제기하는 이들이 없지 않으니, 이를테면 김정근은 과학주의적 방법론 일색의 사회과학 연구문헌이 중요하게 생각하고 있는 것들을 나열하면서 각각에 대해 다음과 같이 반론을 제기하고 있다.[10)]

---

8) 신광현, 앞의 글, 15쪽.

9) 신광현, 앞의 글, 13-14쪽.

10) 김정근 엮음, 『학술연구에서 글 쓰기의 혁신은 가능한가』, 서울: 한울아카데미, 1996, 25~26쪽.

> 첫째, 연구자들은 가능한 한 냉정하고 객관적이어야만 한다는 주장이다. 그러나 우리들이 주관적으로 경험하는 세계 또한 매우 신뢰할 만하다는 점을 인식해야 한다.……
>
> 둘째, 어떠한 경우에 있어서도 자신들이 연구하고 있는 것을 측정할 수 있어야 한다고 한다. 그러나 존재하는 모든 것을 측정할 수 있다는 것은 가능하지 않다. 특히 인간의 감정을 측정한다는 것은 불가능하다.……
>
> 셋째, 실험조건을 통제해야만 한다고 한다. 그러나 사회과학에서 살아 움직이며 의식을 갖고 있는 인간이란 관찰자를 통제하는 것은 그 결과를 더욱 미심쩍고 불확실하게 만든다.
>
> 넷째, 보편적으로 적용될 수 있는 결과가 나오도록 연구절차를 수행해야만 한다고 주장한다. …… 그러나 인간사는 시간, 장소, 또는 문화적 배경에 따라 변하는 특이한 성질을 가지고 있다는 사실을 시인해야만 한다.……
>
> 다섯째, 미래에 대해 예측할 수 있어야만 한다고 한다.…… 그러나 정확한 예측을 하기 위해서는 실제적인 상황을 무자비할 정도로 축소시켜야만 한다.[11)]

이러한 김정근의 반론은 과학적, 또는 학문적 논문이 지나치게 관습화되는 경향에 대해 경계하는 의미에서 제시된 것이라 할 수 있다. 하지만 아직 우리 나름의 준거를 마련하지 못하고 있을 뿐만 아니라 일정한 수준을 담보한 논문들이 그렇지 못한 논문들과 뒤섞여 있는 우리 학계의 실정을 놓고 보면, 양자의 입장은 수레를 움직이는 두 바퀴처럼 맞물려 돌아가야만 할 것이다.

---

11) Ceteris Paribus(Other things being equal).

3. 논문의 주체와 문체

이상의 논의를 통해서, 우리는 글 쓰기가 단순히 말을 문자의 형태로 옮기는 작업에 그치는 것이 아니라는 사실을 알 수 있다. 곧 글쓰기라고 하는 행위를 통해서 현실 권력이 창출되고, 이렇게 만들어진 현실 권력은 이데올로기화하여 거꾸로 우리를 주체로서 '부르며'(알뛰세가 말하는 주체의 호명이론), 그 '밖'은 없게 된다.[12] 이때 이데올로기는 더 이상 허위의식이 아니라 '물질'이며, 이때 주체의 자유의지에 대한 강조는 하나의 허구일 뿐이다. 여기에서 논문의 주체는 형해화되어 가뭇없이 스러지게 되며, 이러한 논문 '주체의 은폐'는 '객관성'과 '합리성'이라는 이름으로 포장되어 글 쓰기 과정에서의 신화가 된다. 그러나 '합리적 주체'로서의 "논문 양식은 객관적인 지식을 중립적으로 전달하는 소극적 매개가 아니라, 특정한 종류의 인식을 특정한 종류의 지식으로 만들어 특정한 편향과 함께 구성하는 적극적 주체"가 되게 마련이다. 논문은 더 이상 "주어진 현실을 담는 수동적 도구"가 아니라 "현실세계를 구성하는 능동적 기제"가 되는 것이다.[13]

이러한 논문 주체는 "'객관적 진리'를 소유할 권리와 소유하고 있다는 권위, 그리고 그 권위를 부릴 수 있는 권력"을 부여받게 된다. 이때 이미 알려진 지식을 전수하고 새로운 지식을 창출하는 논문의

12) 알뛰세에 의하면, 여성이나 장애인, 동성애자를 비롯한 우리 사회의 약자들에 들씌워진 어떤 이미지는 결코 필연적인 것이 아님에도 우리는 그러한 시니피앙들이 떠올리는 모종의 부정적 이미지를 연상하게 되는데, 결국 우리가 그러한 것들을 객관적 현실로서 의식하는 것이 아니라 그렇게 만들어진 이미지들이 이데올로기화하여 거꾸로 우리를 '호명'하는 것이다.

13) 신광현, 앞의 글, 37쪽.

본래 의의는 사라지고 논문 자체가 목적이 되는 가치의 전도가 일어나게 되는데, 전자를 논문의 사용가치로 그리고 후자를 논문의 교환가치로 본다면 결국 자본주의 사회에서의 상품과 마찬가지로 여기에서도 교환가치에 의한 사용가치의 소외가 생겨나게 되는 것이다. 사용가치가 소외되어버린 논문은 그것에 걸맞는 문체를 요구하게 되는데, 학술 논문이 갖추어야 할 문체의 기본 원리는 다음과 같다.

> 하나의 문장은 하나의 생각 혹은 주장을 담아야 한다는 것이다. 따라서 논문에는 기본적으로 복문보다 단문이 적합하다. 꼭 필요한 경우에만 복문을 써야 하고, 그 경우 문장과 문장의 접속관계를 분명히 해서 문단의 흐름에서 벗어나지 않도록 해야 한다. 되도록 문장을 단순화해야 하고, 과다한 수식어의 사용을 자제해야 한다. 구체적이고 개념적인 표현을 써야 하고, 비유적이거나 수사적인 표현을 피해야 한다.[14]

이러한 논문 문체는 역으로 이 논문이 다루게 될 "대상세계는 지극히 단순하고 기계적"이며, "단순하고 투명한 문체와 단선적인 문장의 연결은 표현될 사고와 주장도 단순하고 단선적일 것을 요구한다. 다시 말하면 논문의 문체는 대상을 단순하고 단선적이며 기계적인 것으로 변형시킬 것을 강요"하게 되는 것이다. 따라서 이러한 "논문의 문체로써는 인문적 사고의 자기 반성적 깊이와 변증법성은 물론 대상세계의 상호연관성, 복합성, 다차원성, 중첩성, 역사성을 표현하기 어렵"게 된다.[15]

---

14) 신광현, 앞의 글, 19쪽.
15) 신광현, 앞의 글, 25-26쪽.

하지만 학술 논문의 문체가 안고 있는 문제점 가운데 가장 심각한 것은 "논문의 이상적인 문체가 전제하는 투명성"이 "언어의 물질성과 사회성을 억압함으로써, 논문이 담아내는 사고의 성격을 미리 규정하고, 그 사고의 한계를 바라보게 하는 비판적 거리를 제거"[16]하는 데 있다는 것이다. 이렇듯 비판적 거리가 제거된 논문은 삶과 앎이 괴리되어 현실과 동떨어진 공론에 빠지기 쉬운데, 이때 더욱 문제가 되는 것은 이러한 글일수록 권위 있는 글로 대접받는다는 사실이다.[17] 누구도 함부로 끼어 들 수 없는 이야기를 할수록 권위가 선다고 생각하며, 언필칭 학술논문은 현실과 거리를 둘수록 권위를 인정받게 마련이다. 그리하여 권위 있는 글을 쓰는 사람들은 "분노해야 마땅한 일에 대해서도 자신이 얼마나 냉정하고 차분하며 학술적인지 그걸 과시하기 위해 글 쓰기에만 몰두하고 있다."[18] 하지만 논문의 주체가 사상되고 삶과 앎이 괴리되면, 학문 자체는 그 존재 이유가 사라지게 된다. 그런 의미에서 글 쓰기의 문제는 형식의 문제일 뿐만 아니라, 내용의 문제이기도하며, 궁극에는 학문 전체와 연관된 문제가 되기도 한다.

---

16) 신광현, 앞의 글, 20쪽.

17) "우리가 정작 놀랍게 생각해야 할 것은 앎을 다루는 사람들의 집단이기주의이다. 그들은 권위를 누리기 위해 삶에 접근하려 하지 않는다. 그들의 앎이 삶에 접근할수록 그들의 배타적 전문주의는 도전을 받게 돼 있다.……그런 풍토에서 앎의 길을 시작하는 사람들은 삶과 앎이 서로 따로 놀수록 학문의 수준이 높아지는 걸로 생각하게 된다." (강준만, 「'기지촌 지식인'을 질타하는 김영민의 글 쓰기 혁명--따로 노는 삶과 앎의 결혼을 위하여」, 『인물과 사상』 제3호, 서울: 개마고원, 1997.8. 283-284쪽.)

18) 강준만, 「'개혁 상업주의'를 어떻게 볼 것인가」, 『인물과사상』 제19권, 서울: 개마고원, 2001년 7월. 146쪽.

4. 문제의 제기와 대안의 제시

4-1. 무엇이 문제인가?

그렇다면 우리 학계가 안고 있는 문제점들은 어떤 것이 있는가? 여러 논자들이 제기하고 있는 문제점들을 종합해 보면 다음과 같은 몇 가지로 나누어 볼 수 있다.

첫째, 학문 연구상의 '식민성'이다. 다른 동아시아 국가들과 마찬가지로 우리의 근대는 우리 스스로의 힘으로 이루어낸 과정이 아니라 타율적으로 주어진 것이었다. 게다가 우리는 짧다고 할 수 없는 식민지 경험을 갖고 있는지라 근대를 받아들이며 겪어야 했던 성장통은 남다른 데가 있었다. 식민의 기억이 끝난 뒤 찾아온 것은 미국으로 대표되는 서구 문물의 세례였다. 식민지 시절과 그 이후를 막론하고 우리의 학문은 외세의 기획에 의한 산물일 따름이었다. 따라서 어떤 식으로 외세에 빌붙고 처신을 잘 하느냐 하는 데 그 성패가 달렸다고도 볼 수 있기 때문에 우리 학문은 그 첫 땅띔부터 왜곡될 수밖에 없었다. 우리 학문은 식민 시절에는 식민지 통치를 합리화하기 위한 이데올로그와 그것을 성실하게 수행할 테크노크라트를 양성하는 데 그 본령이 있었다. 바로 여기에서 식민 시절 우리 학문의 비극이 시작되었다고 해도 과언이 아니다.

> 식민지 치하에서 일본으로 유학을 떠나야 했던 이들의 의식·무의식적 심리는 역사적으로 재해석돼야 한다. 이들 식자층들이 바로 일제 식민지 시대 실증주의 식민사관의 주역이었으며, 대동아공영권 주창자였고, 많은 이들이 누구보다 먼저 창씨개명에 앞장섰다는 사실을 역사

가 증언하고 있기 때문이다.…… 식민지 시대의 역사가 증언하는 '해외 유학'은 좌절된 민족적 지식인의 고뇌와 실천이 있었던 반면, 친일파 지식인에 의한 왜곡된 정치와 비속화된 학문의 길이 동시에 존재했다고 할 수 있다.[19]

하지만 해방이 되었다고 사정이 달라진 것은 없었으니, 해방 이후 지금까지 우리의 학문 발전은 미 군정과 미 본토의 관리들이 기획한 청사진에 의해 그들이 '세뇌(brain wash)'라고 부르는 과정을 통해 진행되어왔다고 해도 지나친 말이 아니다.

해방 이후 한국현대사를 지적·학문적 차원에서 보면, 미국적 세계관과 패러다임의 이식·지배화와 그에 동반되는 지적 '식민화(colonization)' 과정이었다고 볼 수 있다. 해방 이후 한국에 대해 미국은 '해방자'적 이미지를 가지고 나타난 지배적인 외재적 권력이었다. 그러나 반공주의를 배경으로 이러한 외재(外在)적 권력은 내재화(內在化)된 친미적 세계관으로 혹은 주류적 패러다임으로 변모해간다.…… 반공주의와 새로운 개발주의적 에토스 속에서 미국적 세계관과 미국적 패러다임은 더욱더 한국사회와 특별히 지식 세계 속에 깊이 뿌리내려가게 된다. 이러한 정착은 미국에서 훈련받은 주류 지식엘리트들이 대거 한국 학계에 자리잡고, 그 결과 미국적 패러다임 재생산의 인적 메커니즘이 정비되면서 좀 더 강화된다.[20]

---

19) 오창은, 「지식의 식민화와 학문의 돌파구 사이에서」, 『모색』 2, 서울: 갈무리, 2001.9.5. 21쪽.

20) 조희연, 「지적 '식민화'에 대한 비판적 성찰 시도」, 『우리 학문 속의 미국』, 서울: 한울아카데미, 2003. 3쪽.
"미국의 시선으로 우리 자신을 보는, 즉 타자화된 시각이 내재화된 지적 식민화는, 심지어 한국의 특정 현실이 미국적 패러다임에 의해 분석·재정식화된 이후에 다시 한국에 유입되어 한국의 주류적 분석으로 통용되는 역설적인 현상으로 나타나기도 그 결과 우리의 학문은 “비대칭적 권력 관계 속에 자리한 강자의 구속과 억압으로부터 원천적으로 벗어날 수 없도록 구조화된 상태”에 빠져버리게 된다.[21] 그리하여 “이웃해서 함께 어울릴 수밖에 없는 학문공동체의 일차적 동료들은 서로 서로 외면한 채, 파리이든, 런던이든, 보스턴이든, 동경이든, 각자가 접속하고 있는 관념의 고향을 향해 요배(遙拜)하면서 정신의 망명을 엘리트의 특권으로 보는 시선 역시 우리 사회 전체가 송두리째 빠져있는 타율적 근대화의 이중구속(double bind)에 다름”아닌 상황에 놓이게 된다.[22] 이를테면 중국문학의 경우, “우리나라 학자들은 논문을 쓰면서 국내의 연구 성과를 돌아보는 데 무척 인색한 편이다. 그들은 우리의 연구 성과가 그렇게 수준이 높지 않다고 치부해 버리고 막 바로 중국에서 나온 자료들을 갖고 자신의 논지를 펼치고 있다.”[23]

이것과 연관해서 논문에 인용된 참고문헌의 내용을 살펴보면 그 나라의 학문 수준을 가늠해 볼 수 있다는 주장도 있다. 첫 번째 단계는 국내의 연구 성과에 대해서는 전혀 언급하지 않고 인용도 하지 않는 것이고, 두 번째 단계는 국내의 연구 성과를 인용하긴 하되 자기와 학연을 같이 하는 등 같은 무리의 사람들 것만을 인용하는 것이고,[24] 세 번째 단계는 국내의 것은 물론이고 연구와 연관이 있으면 중국이고 미국이고 가리지 않고 인용하는 것이다. 과연 우리의 학문은 어느

했다.” (조희연, 2003. 4쪽.)

21) 김영민, 「‘눈치’, 없이, 질투 없이, 쉼 없이」, 『인물과사상』 2001년 7월호, 서울: 인물과 사상사. 2001.7.1. 52쪽

22) 김영민(2001.7.1) 53쪽.

23) 조관희, 「한국에서의 중국소설 연구(1)」, 『중국소설논총』 제15집, 서울: 한국중국소설학회, 2002.2. 326쪽.

24) 국내의 유수 대학 출신 가운데 이런 경향을 가진 집단이 있다.

단계에 머물러 있는지 새삼 재고할 필요가 있는 대목이다.

종합하자면, "우리의 근대사는 식민지 경험, 해방의 타율성과 미군정의 경험, 분단, 서구 중심의 근대화와 그 파행, 정치적 비민주 등으로 점철되어 왔다. 따라서 우리에게는 탈봉건을 통한 근대성의 완성과 탈식민을 통한 주체성 회복이라는 이중의 과제가 맡겨져 있는 것이다."[25]

둘째, '원전 중심주의', 또는 '논문중심주의'라 부를 수 있는 학문의 협애한 소통성이다. 여기에서 말하는 '원전 중심주의'란 "몇몇의 원전들을 논의의 출발점이자 귀결점으로 삼는 논문 류의 글 쓰기와 그 심리"를 가리키며,[26] '논문중심주의'란 "논문만이 가장 이상적인 형태의 글 쓰기이며, 오직 논문을 통해서만 학문성이 보장된다는 허위의식"을 가리킨다.[27] 이러한 '원전 중심주의'와 '논문중심주의'는 바로 위에서 언급한 우리 학문의 식민성에서 기인하는 것으로, 우리 나름의 시각으로 대상을 판단할 준거를 갖고 있지 못하기 때문에 빚어진 현상이라 할 수 있다.

이에 따라 "학문 공동체를 통해서 검증된 고전을 무시하고 외진 사색에 골몰하는 짓이 비효율적일 뿐 아니라 심지어 위험하다는 진단"[28]이 학계에 만연하게 되었다고 할 수 있다. 이렇듯 '원전 중심주

---

25) 김정근 엮음(1996), 36쪽.

26) "외국문학으로서의 중국문학을 연구 대상으로 삼고 있는 한, 우리는 중국과의 관계 속에서 영원한 약자일 수밖에 없다. 그것은 특히 원전에 대한 정확한 독해 능력이라고 하는 질곡에 갇혀 버려 다른 곳으로 눈을 돌리지 못하는 우리 학문의 협애한 시각에서 선연히 드러나고 있다. 이렇듯 원전에 매몰되다 보면, 학문의 대상에 대한 객관적 시각의 확보가 어렵게 되어 해당 작품이나 작가를 '무의식적으로 동일시하는 현상'이 나타나기도 한다" (오태석, 『중국문학의 인식과 지평』, 서울: 도서출판역락, 2001, 151쪽).

27) 김정근 엮음(1996), 34쪽.

의'나 '논문중심주의'에 빠지게 되면, 학술 연구는 도식적인 데로 흘러 고립성을 면치 못하게 될 뿐 아니라 학문적 주체를 상실하게 된다. 이제 논문을 쓰는 주체인 나는 주변으로 밀려나고 논문 자체가 주체가 되고 목적이 되는 전도된 현상이 일어나게 되는 것이다. 하지만 그와 동시에 논문의 주체인 나는 "스스로의 구성 조건을 은폐하고 성립 과정을 망각하게 되고, 그럼으로써 자신이 독립적이고 자율적이며, 안정되게 중심 잡힌 꽉 찬 존재라는 환상을 누리게 된다."[29)]

헤겔이 말한 주인과 노예의 변증법에서 주인과 노예가 변증법적 반전을 일으켜 그 지위가 역전이 되듯, 학문적 주체를 상실한 논문은 더 이상 나를 위해 봉사하지 않고 그 자체로 숭배와 섬김의 대상이 되어 군림하게 된다. 과연 논문이란 무엇인가? 아직도 논문을 진리를 담아내고 현실을 반영하는 도구로 생각하고 있는가? 앞서 우리는 논문을 하나의 담론으로 보면서, 담론으로서의 논문은 '권력화된 말의 흐름과 쓰임'을 가리킨다고 하였다. 그런 의미에서 논문은 우리에게 평생의 일용할 양식을 제공해줄 직업을 얻기 위한 통과 의례인지도 모른다. 곧 운전을 하기 위해 면허를 따듯 우리는 무언가 안정된 자리를 보장받기 위해 논문을 쓰고 있는지도 모른다는 것이다. 하지만 문제는 오히려 다른 데 있다. 그것은 누구나 이런 과정을 거치면서 기왕의 관습과 관례에 길들여진다는 것이다.

나는 그런 힘든 과정을 거치면서 논문이라는 형식의 글 쓰기 요령들, 가령 고명한 대가의 이론에 기대어 논점을 잡아낼 것, 담론의 공간

28) 김영민, 「글 쓰기 · 인문학 · 근대성」, 『열린지성』 제3호, 1997 겨울. 70쪽.
29) 신광현, 앞의 글, 33쪽.

> 에서 회자되는 기본 어휘들을 잘 익힐 것, 관점들을 잘 조합할 것, 전개는 양비론, 마무리는 양시론의 구도로 가져갈 것, 매끄러운 해석의 가닥을 잡아낼 것, 트집 잡듯이 각주를 활용할 것, 독창적이기보다 무난하려고 애쓸 것 등을 잘 익혔고, 이런 요령들로 소위 학술논문을 쓰는 전문학자로 성장해갔다. 그 결과 내 글들은 독창성이나 상상력 대신 건조한 이론들에 대한 계몽적 탐색, 기존의 담론들을 매끄럽게 해석하고 잘 짜맞추어서 무난한 결론, 그러면서도 하나마나한 주장들로 다닥다닥 기워졌지만, 그렇게 써버린 논문들은 무슨 권력처럼 학위 과정에서는 박사모를 내 머리에 얹어주기도 했고, 조교수·부교수·교수의 승진심사에서는 착오 없이 나를 승진시켜주기도 했다. 그러나 이런 식의 논문 쓰기에서 글 쓰는 즐거움을 느낄 리 없었다. 영문 요약에 참고문헌을 덧붙여서 편집 담당자에 넘겨주고 나면 밀려드는 것은 그럭저럭 한 건 해치웠다는 노동자의 성취감 같은 것이 전부였다. 그렇다. 나는 논문 쓰기 노동자였다.[30)]

그렇게 해서 '만들어진' 논문이 갖는 효용성은 어디에서 찾아야 할까? 아니 그런 논문들은 누가 읽는 걸까?

> 우스운 말로 교수들이 쓰는 연구논문을 읽는 사람은 그 글이 실리는 학술지의 심사위원 세 사람뿐이라는 말이 있을 정도이다.…… 그리고 학술적 연구의 지적 권위는 국내의 전문학술지보다는 해외의 전문학술지에 실리는 것에 의해 더욱 안전하게 보장된다. 그 결과 지식의 생산물인 논문이 우리 사회에서 갖는 의미는 질문조차 되지 않는다. 그리고 그러한 연구 실적은 대학에 취직하고 승진하기 위해서만 값지게 쓰여진다.[31)]

---

30) 이왕주, 「천년의 틈새」, 『현대사상』 제10호(2000년 봄), 98쪽.

31) 정수복, 「무엇을 할 것인가: 비판적 지식인과 대안적 사회 발전모델」, 『현대사상』 제

마지막으로 이러한 모든 문제점들은 사실상 현실과 괴리된, 앎과 삶이 완벽하게 분리된 학술 논문의 기괴한 모습으로 귀결된다. 앞서 논문의 문체를 언급하면서도 거론한 바 있지만, 학술 논문이 안고 있는 가장 심각한 문제는 논문이라고 하는 제도가 객관과 실증의 늪에 빠져 현실을 비판적으로 바라보는 시각을 원천적으로 봉쇄하는 데 있다. 결과적으로 논문 주체가 소외되고 우리의 삶이 앎으로부터 괴리되면 학문 자체가 위기에 빠지게 되는 것이다. 하지만 그렇다고 '논문' 자체를 탓할 수는 없는 노릇이다. 곧 '논문중심주의'를, '원전중심주의'를 비판한다는 것이 논문이라고 하는 형식 자체를 송두리째 부정하는 것은 아니라는 것이다.[32] 그렇다면 이러한 문제를 해결하는 실마리는 어디에서 찾아야 하는 것일까?

4-2. 대안, 또는 해결의 실마리를 위하여

문제의 해결은 의외로 간단할 수가 있다. 그 실마리는 첫째, 그것이 문제라는 것을 인식하는 데서 출발하고 둘째, 해결 방안은 오히려 그 문제 자체에서 찾을 수 있게 마련이다. 두려움을 마주한 사람이라면, 그 두려움을 회피할 것이 아니라 현실로 받아들이고, 나아가 그 두려움을 부둥켜안고 일어서야만 하는 것이다.[33]

앞서 우리 학계가 안고 있는 가장 큰 문제점은 학문의 '식민성'이

5호(1998년 여름), 102~103쪽.

32) "이 글이 백안시하는 것은 논문중심주의이지 논문이 아니다.……논문중심주의에 대한 비판은 논문이라는 형식 자체를 일방적으로 부정하자는 것이 아니라, 논문이라는 형식성이 학문성을 전유할 수 있다고 믿는 허위 의식과 강박 그리고 이를 가능케 만든 문화 역학을 교정하자는 발상이다." (김영민(1996) 23쪽.)

33) "땅에 넘어진 자 그 땅을 짚고 일어나야 한다."

라고 했다. 그렇다면 문제의 해결은 우리 학문이 식민성을 띠고 있다는 사실을 인정하는 데서 출발해야 한다. 혹자는 이렇듯 식민성에 찌들은 우리 학계를 '기지촌의 지식인들'로 비유하기도 했다. 이들 기지촌의 지식인들은 자신들을 다른 사람들과 구별함으로써 그들만의 특권을 만들고 그것을 누린다. 그들의 "특권 의식은 우선 어학 실력에서부터 출발한다. 남들이 읽지 못하는 문건들을 읽어내고, 남들이 통행할 수 없는 기지 속을 돌아다닐 수 있다는 사실은 기지촌 지식인들의 허위 의식이 시작되는 지점이며, 동시에 자신의 현실과 남의 현실을 혼동하기 시작하는 지점이다." 이렇듯 특권 의식에 사로잡혀 있는 지식인들에게 지식은 아무나 접근할 수 없는 신비로운 대상이어야 한다. 그리하여 그들은 "전문성의 특권으로 무장한 소수의 '참된 학자'만이 책의 '본질'을 파악할 수 있을 뿐이고, 나머지는 그 '현상적 거품'만을 건드릴 뿐 결코 그 본질을 제대로 읽어낼 수 없다"[34]는 태도를 취하게 된다.[35]

따라서 식민성 극복의 출발은 지식인들이 갖고 있는 허위의식을 벗어버리는 데 있다고 할 수 있다. 아울러 이와 동시에 "고전과 원전의 권위, 그리고 그 토론의 상궤(常軌)가 획정한 길만을 타박타박 걸어 다니는 짓도 바람직한 학문 행태가 아니다"[36]라고 하는 자기고백

---

34) 하지만 "워낙 독서란 해석과 선택의 미로를 배회하는 것이 아닌가. 물론 재능과 준비에 따라 이해도와 소용은 다를 것이다. 그러나 특정한 인문학 저서 속에 반드시 찾아내야 할, 그리고 재능과 적절한 준비를 갖추면 반드시 찾게 되는 무슨 보석상자가 숨어있는 것은 아니다." (김영민, 「글 쓰기·인문학·근대성」, 『열린지성』 제3호, 1997 겨울. 71쪽.)

35) 김영민, 「기지촌의 지식인들」, 『탈식민성과 우리 인문학의 글 쓰기』, 서울: 민음사, 1996. 64쪽.

36) 김영민(1997), 70쪽.

이 요청되기도 한다.

그리하여 우리의 학술 논문이 지향해야 할 바는 다음의 몇 가지로 압축된다.

첫째, '주체적'이어야 할 것. 여기에서 '주체적'이어야 한다는 것은 '우리 식', '한국적', '자기준거적', 또는 '자기의 목소리를 가져야 한다'는 것을 의미한다.[37] 그런데 주체적이기 위해서는 그 논의의 출발점을 자신이 딛고 있는 현장에 두어야 한다. 현장을 떠난 학문은 공허해질 수밖에 없고, 극단적으로 말해서 아프지 않은데 지르는 신음 소리(無病之呻吟)와 같은 것이라 할 수 있다.

이렇듯 현장을 떠난 논문 쓰기는 더 이상 일이 아니라, 하나의 '지적 유희'의 과정이라 할 수 있다.[38] 그리하여 우리 학문이 식민성을 극복하고 주체적이기 위해서는 탈식민화의 과정을 거쳐야 하는데, 그것은 "일상적 상호 작용 속에서 자기의 욕망과 느낌에 대해 이야기하는 것이 쓰잘 데 없는 것이 아님을 알게 되는 것, 자기에게 맞는 진술의 방식을 찾아내는 것, 그래서 많은 사람들이 자신 속에 있는 역사성을 감지하게 되는 것"[39]이라 할 수 있다.

둘째, 학문의 비판적 기능을 살려나갈 것. 앞서 말한 대로 학문이 식민성에 젖어 현장을 떠나게 되면 제일 먼저 현실에 대한 비판성을

---

37) "비록 미약한 논의와 음성이라도, 상호 경쟁과 평가를 통해서 쌓아가지 않으면 영영 우리의 음성을 낼 수 없게 된다. 파리와 케임브리지의 큰 성취에 눈이 멀어, 전주와 대구에서 벌어지는 조그만 성취를 돌보지 않는 행태를 이제는 종식시켜야 한다."(김영민, 「우리 근대성과 인문학의 과제」, 『현대사상』 97년 여름호.)

38) "나는 연구자에게 있어서 학술논문 쓰기는 한갓 개인의 취미를 살리는 유희여도 되는가, 아니면 그것은 사회적 책임을 띠는 일의 성격이어야 하는가를 묻지 않을 수 없었다." (김정근 엮음(1996), 4쪽)

39) 조혜정(1997), 47쪽.

잃게 된다. 비판성을 잃은 학문은 곡학아세(曲學阿世)와 혹세무민(惑世誣民)의 도구로 전락하기 쉬우니, 그로 인한 폐해는 이루 말할 수 없는 지경에 이르게 된다. 그것은 "인간이란 믿기지 않을 정도로 탐욕스러운 존재고 자신의 탐욕을 정당화하기 위해선 자신을 속이고 남을 속이는 놀라운 재주를 갖고 있기 때문이다."[40] 그러니 모름지기 학문을 하는 이는 항상 자기 자신을 비롯한 주위 사물에 대한 비판적인 시선을 거두어서는 안될 것이다.

> 논문이 현재의 역사적 상황에서 학문활동이 이루어지는 주된 장인 한 논문양식에 대한 반성적 사고가 학문적 실천의 일부가 되어야 한다는 사실이다. 논문을 어떻게 정의하고 어떤 양식으로 쓸 것인지를 선택하는 일이기도 하기 때문에, 대학과 학문의 위상에 대한 비판과 반성을 논문의 담론적 위치와 논문양식의 담론적 효과에 대한 사고를 반드시 동반해야 한다는 것이다.[41]

셋째, 학술 논문 형식의 다양성을 살릴 것. 과거에는 지식이 선택된 소수의 전유물이었던 시대가 있었다. 그러나 매체의 발달은 더 이상 지식을 폐쇄회로에 가두어두지 않고 누구나 접근할 수 있고 나아가 누구나 한 마디 보탤 수 있는 쌍방향의 상호교섭적인 성격을 띠게 만들었다. 이른바 지식의 대중화 시대인 것이다.[42] 그러므로

---

40) 강준만, 「한국은 서울대를 유일신으로 모시는 광신적 사교집단?」, 『인물과 사상』 제1권, 개마고원, 1997.1.20. 182쪽.

41) 신광현, 앞의 글, 36쪽.

42) "근대의 모든 지식인들은 세계 어디에서건 데카르트와 칸트와 쇼펜하우어를 읽어야만 했던 때가 있었다. 그 책이 지배하던 시대는 명실공히 소수의 천재들의 독점 무대였다. 그러나 라디오가 나오면서 대중들도 유식해지기 시작했고, 텔레비전이 등장하면서 본격적인 대중 사회가 출현한다. 이제 수백 개의 채널을 가진 위성 방송 전파가

이러한 시대의 학술 논문 역시 종래의 고답성을 탈피하고 좀 더 다양한 형태로 다양한 내용을 담아낼 수 있어야 한다. 곧 학술 논문의 특성이라 할 "논리적 연결이나 명쾌한 문체를 그것 자체로 부정하자는 것이 아니라, 그것들이 전략적으로 선택될 수 있는 다양한 가능성 중의 하나일 뿐이므로 유일무이한 절대적인 척도로 작용해서는 안 된다는 것을 기억하자는 것이다."[43]

> 소위 논문이라는 형식 자체가 근대서구 대학교육에서 성립한 모종의 특수형식을 지칭하는 것이지 철학논문 일반의 절대적 기준이 될 수가 없음은 명백하다. 좀 더 자세히 그 일치된 관념을 분석해 보면 그것이 너무도 막연하고 근거 없는 허구임이 드러난다. 그들의 관념은 이런 것이다. 일인칭을 쓰지 않는 서술문으로 감정의 표현이 없이 메마르게 쓸 것, 엄숙하고 고상한 말들만 골라 나열할 것, 철학사의 기존 개념의 조합 속에서만 맴돌 것, 그리고 설명 없는(저자, 책명 등만 나열하는) 주석을 붙일 것 등등이다. 논문이란 도대체 무엇인가? …… "논문이란 자기의 주장을 펴서 시비적부(是非適否)를 가리는 글"이며 여기에 어떠한 일정한 양식이 주문되어 있는 것은 아니다. 자기의 주장을 펴기 위해서, 또 자기 나름대로의 체계를 의식하면서, 동원될 수 있는 모든 양식이 자유롭게 동원될 수 있다고 생각한다. 이렇지 못한 양식의 고정성은 그 문(文)의 죽음을 의미할 뿐이다.…… 나는 나의 논문을 세인들이 시라 불러도 좋고 소설이라 불러도 좋고 수필이라 불러도 좋다. 그러나 나의 논문은 명백히 나의 철학체계의 성실한 논술이라는 사실만은 양보할 수 없다.[44]

지구촌을 누비고, 유선 방송국까지 합치면 그야말로 정보의 홍수 속에 너나없이 빠져버리고 말 시대가 올 것이다." (조혜정(1997), 50쪽)

43) 신광현, 앞의 글, 26쪽.

44) 김용옥, 「철학의 사회성」, 『도올논문집』, 서울: 통나무, 1991, 92~94쪽.

한편 학문 연구가 소수의 손에 독점되던 시대의 산물이 바로 번역에 대한 폄하이다. 통상적으로 번역은 어느 한 사회의 학문 연구의 바탕이자 출발점으로서 매우 큰 의의를 지닌다고 할 수 있는데, 우리 학계에서는 그토록 중요한 의미가 있는 번역이 제대로 된 평가를 받지 못했던 게 사실이다. 번역에 대한 대접이 소홀했던 것은 특정 소수가 학문을 독점하고 사유화하고자 했던 데 그 원인이 있다고 할 수 있다. 그러므로 제대로 된 학문 연구가 진행되려면 번역을 평가절하하는 풍토가 바뀌어야 할 것이다.

이상의 논의를 종합하자면 원래 현실적 수요에 의해 만들어졌을 논문이라고 하는 글 쓰기 형태가 오히려 하나의 목적이 되어 버린 현실을 바로잡기 위해서는 의식의 전변이 요구된다는 것이다.[45] 하지만 이러한 변화가 어찌 하루아침에 이루어지겠는가? 앞으로도 이를 위해 다양한 노력이 기울여져야 할 것이다. 김정근은 이러한 노력의 단초로서 '질적 연구'의 필요성을 제기한 바 있는데, 마지막으로 그가 제안하는 '질적 연구'에 대한 언급을 간단히 소개하는 것으로 이 글을 마무리하고자 한다.

> 첫째, 질적 연구에서는 자연적인 환경이 자료의 직접적인 근원이며, 연구자 자신이 주된 연구도구이다.
>
> 둘째, 질적 연구는 기술적이다.…… 질적 접근에는 이 세상의 어떤 것도 쓸모 없는 것은 없으며, 모든 것이 연구주제에 대한 보다 포괄적

---

45) "논문의 텍스트로써 역사를 무화시키는 버릇에서 벗어나, 오히려 컨텍스트로써 논문을 역사화시키는 자세의 전회(轉回)가 있어야 한다." (김영민, 「글 쓰기 · 인문학 · 근대성」, 『열린지성』 제3호, 1997 겨울. 81쪽.)

인 이해를 도울 수 있는 잠재력을 갖고 있다고 믿는다.

셋째, 질적 연구자들은 결과나 산물보다는 과정에 관심을 가진다.

넷째, 질적 연구자들은 모은 자료를 귀납적으로 분석하는 경향이 있다. 질적 연구자에게는 연구의 방향이 자료수집이 거의 끝날 무렵에 그리고 연구대상자들과 이미 많은 시간을 보낸 후에 나타나기 시작한다. 질적 연구자는 연구를 통해서 중요한 연구문제를 찾아내게 된다.

다섯째, 질적 연구에 있어서는 의미가 매우 중요한 관심사이다.[46]

『중국어문학론집』 第33호, 서울: 중국어문학연구회. 2005.8.

46) 김정근 엮음(1996), 31~32쪽.

'인문학 위기' 담론에 대한 비판적 고찰 1

-'학진'의 지원은 대안이 될 수 있는가?

군자라야 진실로 곤궁할 수 있는 법이니,
소인이 궁하면 흐트러지게 마련이다.
(君子固窮, 小人窮斯濫矣)*

1. 인문학의 위기라는 풍문

연전에 우리 사회 일각에서 인문학이 위기에 처했다는 풍문이 나돌았다. 그 시발점이 된 것은 고려대 문과대 교수 117명이 연명으로 발표한 '인문학 선언'이었다. 급기야 인문학 선언을 발표한 고려대를 비롯해 서울대와 연세대, 서강대, 성균관대 등 국내의 유수한 대학의 인문대 학장들이 모여 인문학 활성화 방안을 논의했고, 아예 인문주간을 선포하여 이화여대에서 '인문학의 위기'를 타개하기 위한 행사까지 벌였다. 그런데 돌이켜 보면, 이와 같은 인문학 위기 선언은 평지돌출 식의 느닷없는 문제 제기가 아니었다. 공교로운 것은 이러한 선언이 정확하게 5년의 주기로 반복되었다는 사실이다.

---

* 『논어』 위령공 편에 나오는 말이다. 군자는 비록 곤궁한 처지에 놓이더라도 흐트러지지 않으나, 소인배는 궁해지면 못하는 짓이 없게 된다는 뜻이리라.

> 지난 9월 전국 인문대 학장들이 모여서 '인문학 위기'를 선언하고 성명서를 냈다. 1996년에도 인문학은 위기였다. 1996년 11월 제주대학에서 전국 21개 국공립대학 인문대 학장들이 모여 '인문학 제주선언'을 한 적이 있고, 2001년에는 전국 국공립대 인문대학협의회 차원에서 인문학 연구 교육기반 붕괴를 우려하는 '2001 인문학 선언'을 내놓은 적이 있다. 그때도 인문학은 위기였고, 지금도 여전히 위기인 모양이다. 아마도 인문학의 위기는 5년 주기로 오는 모양이다.[1)]

그리고 2006년 9월 26일 이화여대에서는 전국 인문대 학장단의 성명서 '오늘의 인문학을 위한 우리의 제언'이 낭독됐다. 그렇다면 앞서 인용문에서 지적한 대로 우리의 인문학 위기는 5년 주기로 찾아오는 열병과 같은 것일까? 문제가 제기되면 뜨겁게 달아올랐다가 이내 식어버린 뒤에는 무슨 일이 있었느냐는 식으로 다시 잠잠해져 버리니,……[2)]

하지만 이번에는 확실히 이전의 소동과는 다른 분위기가 감지되고 있다. 그런 위기의식에 바탕한 거듭된 문제 제기가 '양질전화'라

---

1) 박경미, 「지식인과 염치」, 『녹색평론』 91호, 녹색평론사, 2006년 11월 14일, 114쪽.

2) 실제로는 아무런 반향이 없었던 것은 아니다. 선언이 있을 때마다 이에 대한 진단과 처방을 제시한 논의들이 간헐적으로 나오기는 했다. 문제는 그런 처방이 현실화되지 못하고 사람들의 기억 속에서 멀어졌을 뿐. 이에 대한 논의는 다음의 자료를 참고할 수 있다.
경상대학교 인문학연구소 엮음, 『새로운 인문학을 위하여』, 서울: 백의, 1993.(이 책은 지금 논의하고 있는 인문학 위기 선언과 무관하게 격동의 시기라 할 1980년대를 보내고 새롭게 맞이하는 1990년대를 준비하는 의미에서 인문학 전반에 대한 다양한 생각들을 제시한 것으로, 인문학을 둘러싼 담론에 대한 선구적인 저작이라 할 수 있다.
학술단체협의회 편, 『한국 인문사회과학의 현재와 미래』, 서울: 푸른숲, 1998.
조동일, 『인문학문의 사명』, 서울: 서울대학교 출판부, 1997.
조동일, 『이 땅에서 학문하기-새 천년을 맞이하는 진통과 각오』, 서울: 지식산업사, 2000.

도 일으킨 것일까? 올 들어 한국학술진흥재단(이하 "학진"으로 약칭)[3] 에서는 인문학 진흥을 위한 지원책을 잇달아 내놓고 있을 뿐 아니라, 심지어 거액의 현상금을 걸고 인문학 진흥을 위한 아이디어 공모까지 하고 있는 걸 보면, 이번에는 약발이 제대로 먹히고 있구나 하는 생각이 들기도 한다. 과연 쥐구멍에 볕 들 듯, 그 동안 척박했던 우리 인문학에 서광이 비추고 있는 것일까? 그런데 그토록 많은 지원책이 제시되고 어쩌고 하는 가운데, 이제 와서 돌아보면 그렇게 심각하게 떠들어대던 인문학 위기의 실체는 무엇이었는지, 그리고 일 년 사이에 뭐가 달라진 건지 하는 생각을 떨치기 힘든 것은 내 자신 '구름 낀 볕 뉘도 쬐지 못한' 한심한 처지라 괜한 트집에 몽니를 부리고 있는 것일까?

한편 '인문학 위기' 선언 이후 사회 각계에서는 다양한 반응들이 쏟아져 나왔는데, 크게 보면 다음의 두 가지 입장으로 나눌 수 있다.

> 고려대에서 시작된 인문학 선언의 파장이 만만치 않다. 뒤 이어 인문인들의 '실천'을 촉구하는 민교협의 성명과 다섯 가지 '요구'사항을 담은 전국인문대학장단 성명서가 발표되었다.
>
> ……
>
> 하지만 위에 나열한 사건들 속에는 미묘한 입장 차이가 들어있음이 감지된다. 인문대학장단과 출판인의 성명에는 주로 국가와 사회에 대한 요구가 담겨있고 정부의 대책이 거기에 화답하는 형식인 반면, 민교협 성명에서는 인문인들의 주체적 실천을 강조하고 있다. 언론의 반응도 크게 다르지 않다.
>
> 첫 번째는 위기상황을 인정하지만 그 극복의 필요성을 '경쟁력'으로

---

3) 이것은 이 글을 쓸 당시의 호칭이었고, 현재는 '한국연구재단'으로 통폐합되었다.

서의 인문학에서 찾는 것이다. 이것은 성명을 주도한 인문학자들과 정부가 공유하는 입장이다. 그들은 인문학을 미래 한국의 문화 '자본'으로 본다. 투자를 하면 이익이 나온다는 자본주의 논리와 크게 다르지 않다.

둘째는 인문학자들의 성명에 대한 비판적 시각이다. 그들은 그 선언 자체를 비인문학적인 것으로 보며 현재의 위기는 인문학의 위기가 아닌 몇몇 인문학자들의 위기일 뿐이라고 한다. 따라서 이 위기상황은 정부의 지원이나 시장논리의 적용이 아닌 인문정신의 고양을 위한 실천운동으로 극복해야 한다고 주장한다. 민교협의 입장이 여기에 가깝다.[4]

첫 번째 입장은 인문학의 위기의 근본 원인을 외적인 요인에서 찾고 있으며, 이에 대한 해결책으로 정부 차원에서의 적극적인 지원책 마련을 들고 있다. 곧 "고려대학 교수들의 인문학 위기 선언에 이은 전국 인문대 학장단의 성명에서 강조하고 있는 것"은 정부가 "인문학 진흥을 위해 장기적이고 지속적인 지원을 아끼지 말아야 하며 이를 위해서 정부의 관계 기관이 '인문학 진흥기금'을 설치하고 관련 법안을 조속히 마련해야 한다는 것이다."[5] 반면에 두 번째 입장은 인문학 자체가 위기가 아니라 몇몇 인문학자들의 불성실한 학문 태도 및 제 밥 그릇 챙기기에서 비롯된 것이기 때문에 이에 대한 대오각성이 있어야 한다는 것이다. 이에 따르면 "지난 십여 년 동안 거의 주기적으로 있었던 위기 선언에 '앞서' 또한 그에 '뒤이어' 인문학자로서의 실천이 얼마나 성실했는지 하는 물음", 곧 "대학에서 얼마

4) 강신익, 「비인문학적 인문학과 비과학적 과학」, 『교수신문』, 2006년 10월 11일.
5) 김용석, 「'인문학 위기 증후군'에 대하여」, 월간 『인물과사상』 2007년 2월호. 인물과사상사. 91쪽.

나 인문적 교육에 충실했는지, 인문학자로서의 연구 방식에 연구 업적에는 문제가 없는지, 인문학자뿐만 아니라 모든 학자와 교육자의 가장 중요한 덕목이라고 할 수 있는 언행일치를 위해 얼마나 노력했는지, 그리고 제도권의 잘못에 대해 얼마나 소신을 갖고 올곧게 비판했는지 묻지 않을 수 없다"[6]는 것이다. 그런 의미에서 보자면 "우리나라에서 인문학의 위기는 본질적으로 제도권의 위기이자 그 안에서 활동하고 있는 인문학자의 위기라는 비판에서 자유롭지 못하다."[7] 여기에서 양자의 입장 차이는 분명하지만, 이 가운데 어느 것이 옳고 그르다는 것을 일도양단하는 식으로 분명하게 가를 수는 없다. 이 글에서는 이 두 가지 입장에 대해 비판적인 고찰을 통해 이에 대한 대안을 모색하고자 한다.

2. '실용성'과 '대중성'의 문제
-신자유주의의 그늘 아래서

인문학의 위기가 외부의 요인에 의해 비롯됐다고 보는 입장에 선 이들은 인문학 분야에 대한 정부 차원에서의 지원 부족을 탓하면서,[8] 우리의 인문학 자체가 '실용성'과 '대중성'을 소홀히 해왔다고

6) 김용석, 앞의 글, 92쪽.

7) 김용석, 앞의 글, 91쪽.

8) 2006년 가을 전국 인문대 학장단은 인문학 진흥을 위한 방안으로 첫째, 정부 주도의 '인문학진흥기금'을 설치할 것 둘째, 인문학 발전을 위해 교육부총리 산하에 인문한국위원회(Humanities Korea · 가칭)를 설치할 것 셋째, 국가 주요 정책위원회에 인문학자의 참여를 보장할 것 넷째, 인문대학장, 교육인적자원부, 학계, 관계기관이 참여하는 '인문학발전추진위원회'를 구성할 것 등을 요구했다.

주장한다. 하지만 현실을 톺아보면 과연 그런가 하는 생각이 절로 든다. 과연 인문학이 위기에 처해 있다면 그러한 위기 탈출에 외부의 지원이 어떤 역할을 할 수 있으며, 또 이런 지원을 통해 그런 위기 상황이 타개될 수 있는가? 이에 대한 답을 찾기 위해서는 현재 시행되고 있는 '학진'의 지원에 대해 꼼꼼히 따져볼 필요가 있다. 결론부터 말하자면, 나는 '학진'의 지원은 양면의 칼날을 갖고 있다고 본다. 곧 현재의 '학진' 등의 연구비 지원은 연구자들에게는 파르마콘, 곧 약인 동시에 독이다.[9] 그것은 이러한 제도적 뒷받침이 학문적 역량을 키우는 데 도움이 되는 측면이 있으나, 반대로 그렇지 못한 측면이 있는 게 사실이기 때문이다.

---

9) 플라톤은 글을 파르마콘(parmacon)이라고 불렀는데 이는 '약(치료제)'라는 뜻과 '질병'이라는 뜻을 동시에 가지고 있는 말이다. 약과 질병은 서로 모순되고 대립되는 것인데 글은 이러한 모순을 동시에 가진다. 글은 화자의 의도를 시간에 제약받지 않고 반복될 수 있게 하기 때문에 일종의 치료제라고 할 수 있다. 하지만 반면에 글은 화자의 의도에서 벗어날 가능성이 있기 때문에 질병이 되기도 한다.
한편 그리스 신화에서 대지의 여신은 가이아(gaea)인데, 인간은 생존을 위해 가이아에 대해 폭력을 가해야(농사를 지어야) 한다. 대지를 이런 식으로 여성으로 파악하는 것은 그리스에만 고유한 것이 아니다. 아프리카의 어느 부족은 땅의 생산성을 높이기 위해 부족의 남자들이 땅에 구멍을 파고 자신들의 정액을 넣는다. 대지의 어머니라는 생각은 이렇듯 세계 곳곳에서 발견되는 보편적인 현상인 것이다. 아무리 먹고살기 위해서라고는 하지만 자신의 어머니를 폭행하는 것은 용서받기 어려운 범죄 행위이다. 여기에 딜레마가 있다. 잘못인줄 알지만 먹고살기 위해서 어쩔 수 없이 자행해야 하는 대지의 어머니 가이아와의 근친상간. 그것을 해결할 수 없다면 망각이라도 해야 한다. 그래서 나온 것이 바로 희생 의례이다. 데리다는 이러한 희생 의례를 파르마코스(Pharmakos)라고 불렀는데, 이것은 그리스어로 '희생양'이라는 뜻이다. 고대 그리스 축제에서는 반드시 남자인 희생자를 선출해 그를 발가벗겨 조리돌림을 하면서 그의 성기를 매질하고는 내다버렸다. 물론 그 남자는 나중에 몰래 돌아오고 나중에 사람들은 그를 아무렇지도 않게 받아들인다. 그런데 파르마코스라는 말에는 독이면서 약이라는 아이러니적 의미가 담겨 있다. 바로 여기에서 희생 제의가 갖고 있는 이중적 의미가 드러나게 된다. 곧 희생자는 마을의 독이면서 약이다. 그에 대한 징벌을 통해 자연에 가해진 폭행(incest)에 대한 속죄를 하는 동시에, 그를 내다버림으로써 정화를 하게 되는 것이다.

한 나라의 학문적 인프라 구축과 그에 대한 지원은 그 나라의 경제 발전 상황과 밀접한 관련이 있게 마련이다. 나라의 경제 수준이 낮은 상태에서는 아무래도 학문 영역에 대한 관심과 지원이 낮을 수밖에 없기 때문이다. 우리의 경우도 마찬가지였다. 1990년대 이전에는 사실상 국가적 차원에서의 지원 같은 것을 기대할 만큼 여유가 없었다. 그때는 누구라 할 것 없이 모두가 하루 하루를 근근히 살아가던 시대였기 때문에, 무슨 학술 분야에 대한 지원이니 이런 것을 생각할 수도, 기대할 수도 없었다. 그나마 경제가 발전해 밥술이라도 뜨게 되니, 이런 데 대한 생각이 미칠 수 있게 된 것인지도 모른다는 얘기다.[10)]

그런 측면에서 보자면 요즘은 과거에 비해 여러 곳에서 다양한 명목으로 지원이 이루어지고 있는 게 사실이다. 약간의 부지런을 떨면, 그리 어렵지 않게 연구 지원금을 끌어올 수 있는 것이다. 그런데 그런 지원이 많아지면서부터 달라진 현실도 감지되고 있다. 우선 긍정적인 면을 보자면, 확실히 맨 땅에 헤딩하는 식으로 아무 것도 기대할 수 없는 상황에서 주린 배를 움켜쥐고 공부를 해야 했던 시절과 비교하면 요즘은 비할 수 없이 상황이 호전되었다고도 볼 수 있다. 지금은 누구나 이런 저런 프로젝트에 참여해 연구에 전념할 수 있는 최소한의 경비를 지원 받고 있다. 이제 궁핍은 절대적이 아니라 상대적인 차원에서만 의미를 갖게 된 것이다.

그런데 어찌된 일인지, 최근 들어 나는 이런 '학진'의 지원이 왠지

10) 그 시절에는 인문학 자체가 부재했기에 무슨 인문학의 위기랄 게 없었는지도 모른다. 그렇다면 이제 와서 인문학 위기 운운하는 것은 위기를 운위할 정도로 인문학이 확고하게 자리잡고 있다는 역설이 성립되기도 한다.

어려웠던 시절 최소한의 생계 지원을 위해 동네 하천을 정비하거나 제방을 쌓는 등의 허드렛일을 만들어 궁핍한 이웃돕기에 나섰던 '취로사업' 같다는 생각이 들곤 한다. 아울러 정부에서 지원하는 일이기 때문에, 지원의 잣대가 되는 것은 그러한 연구를 통해 얻을 수 있는 "학문·사회발전에의 기여 및 연구결과의 활용방안"이 된다. 여기서 인문학 연구는 '실용성'이라는 주문에 사로잡히게 된다. 최소한의 실용성이 담보되지 않으면 애당초 '학진'의 지원을 얻을 수 없는 것이다. 그러다 보니 '학진'의 지원을 따내기 위해 연구자들은 자신의 연구가 당장이라도 현실에 적용되어 당장이라도 돈이 되는 무언가를 만들어낼 수 있다는 것을 보여주기 위해 갖은 수단과 방법을 다 동원하고 머리를 짜낸다. 여기서 '실용성'이란 곧 '시장성'이란 말로 바꿀 수 있는데, 인문학 분야에서의 시장성 추구는 약이 되는 측면보다는 독이 되는 측면이 더 강하게 작용한다.

> 정부의 지원은 문제 해결을 위한 저차원의 지엽말단적인 것에 불과합니다. 장애인이나 고엽제 피해자들이 정부의 지원을 요구하는 것과 비슷하다면 곤란하지요. 문제의 핵심은 사회 풍토를 바꾸는 일입니다. 1960년대 이후 정부가 내세운 중요한 목표가 경제 건설이었고, 초고속으로 이룬 산업화 과정에서 효율과 실용성, 국가 부강에 직결되는 것만을 숭상하다 보니 자연히 인문적 가치가 평가절하되었지요. 또 하나의 축은 이른바 민주화세력인데, 이들은 실천을 중시하면서 운동의 효율성을 추구하다 보니 인간의 본질 탐구나 인간성 중시 같은 가치가 평가절하됐어요. 김대중 정부에서 제시한 신지식인이라는 것조차 경영마인드를 지닌 시장 지향의 지식인인데, 이 또한 인문정신과는 동떨어진 방향이었지요. 결과적으로 작금의 우리 사회에는 반인문적 풍토가

> 조성돼 있습니다. 이런 상황이 지속되다 보니 인문학과 교양의 위기 사태에 직면한 거지요.[11]

과연 인문학의 사명이 이를테면 『산해경(山海經)』에서 캐릭터를 개발해 게임 산업의 육성에 기여하는 데 있는가?

문제는 여기에 그치지 않는다. 세상에 공짜 점심은 없는 법이기 때문에, 당연하게도 이런 지원을 받기 위해서는 일정 기간 해당 연구에 몰두할 것을 요구받는다. 어차피 수행해야 할 연구 과제라면 연구를 진행하는 동안 안정적인 지원을 받아가면서 연구에 몰두하는 것이 그리 나쁠 것은 없지 않겠나 하는 생각이 들 수도 있지만, 현실은 꼭 그런 것만도 아니다. 우선 '학진' 등의 연구 지원 기관에서는 자신들의 실적 때문인지, 주로 3년 이내의 비교적 단기간에 연구 결과물을 제출할 것을 요구하는 경우가 많다. 그러다 보니 연구의 호흡이 갈수록 짧아지는 경향이 있다. '학진'에서 지원이 결정되면, 정해진 기간 내에 성과물을 제출해야 하기 때문에, 모든 것이 그것을 위주로 돌아가게 마련이다. 연구 기간 동안 연구자는 안정적인 지원을 받게 되지만, 그 대신 연구 활동은 그에 상응하는 제약을 받게 된다. '학진' 프로젝트를 수행하다 보면 다른 데 눈 돌리고 자유롭게 연구를 수행할 기회를 스스로 박탈하는 일이 벌어지기도 하는 것이다.

아울러 정해진 기간 내에 결과물을 제출해야 한다는 것은 일종의 '성과주의'다. 이런 성과주의의 폐단은 공부의 호흡을 길게 가져갈

---

11) 「[세계초대석]원로학자 유종호에게 듣는다-인문학 왜 위기인가 초고속 산업화 과정서 인간본질 탐구 외면」, 『세계일보』, 2006년 9월 29일.

수 없다는 것이다. 특히 대학원생의 경우 한 명의 연구자로 키워지기 위해 학문 연구에 필요한 기본적인 소양을 키워가야 하는데, 이런 저런 프로젝트에 참여하다 보면 그렇게 필요한 공부를 하기보다는 프로젝트 팀의 막내로서 여러 가지 궂은 일만 도맡아 하느라 정작 공부에 소홀하게 될 위험이 크게 된다. 그래서인지 요즘은 예전처럼 연구자들이 삼삼오오 모여서 스터디하는 게 좀처럼 보기 드물다. 예전에는 대학원이 설치된 학교마다 다양한 명목의 스터디 그룹이 조직되어 학문 연구에 필요한 기본적인 텍스트를 읽어가면서 그야말로 '공부'를 했는데 반해, 요즘은 각자가 속해 있는 프로젝트 팀을 중심으로 공부 모임이 이루어지고 있다. 그런데 프로젝트 팀에서 하는 공부는 아무래도 실적에 매이다 보니 그 범위가 좁아질 수밖에 없고, 또 모여서 논의하는 내용도 대개는 프로젝트 수행에 필요한 행정적인 일 처리 등을 벗어나기 힘든 경우가 많다.[12] 학문을 진작한다는 명목 하에 수행된 지원이 정작 제대로 된 공부를 하는 데 방해가 되고, 이른바 '학문 후속세대'를 올바르게 키워내는 데 걸림돌이 되고 있는 것이다.

곧 기성의 연구자는 연구의 범위가 제한되어 실제로 자기가 쓰고 싶은 논문을 쓰지 못하는 경우가 생기게 되고, 학문 후속세대는 공부의 시야가 좁아지고 공부에 필요한 절대시간마저 빼앗기게 되어

---

12) 프로젝트 팀의 경우 통상적인 의미에서의 스터디가 될 수 없는 또 하나의 원인은 구성원끼리의 나이나 학문적 역량의 차이가 크다는 데 있다. 나이가 많은 전임 교원부터 박사급 연구자와 이제 막 대학원에 입학한 석사생 연구보조원까지 이렇게 다양한 스펙트럼을 가진 프로젝트 팀에서 공통의 주제를 갖고 스터디를 진행하기란 쉽지 않은 일이다. 그러니 서로 모이면 행정에 필요한 일들을 서로 분담하고 확인하는 데 대부분의 시간을 보내게 된다.

학문에 필요한 기본기가 약해지는 일이 생기게 된다. 나아가 정해진 기간 내에 결과물을 내는 데 급급하다 보니 항간에서는 '학진'의 지원을 받아 이루어진 연구에서는 대작을 기대하기 어렵다는 말이 나오게 되었다. 인문학의 속성상 그 결과물이 촉성 재배를 통해 비닐하우스에서 채소를 뽑아내듯 나올 수 있는 것이 아니라면, 이제는 직수굿하게 기다렸다가 오랜 기간 묵히고 곰삭히는 과정을 통해 어렵사리 독자와 대면하는 논문이나 저서를 기대하기란 애당초 무망한 일이 되어버렸는지도 모른다.

오해가 없기 바란다. 이렇게 말하는 것이 앞서 말한 대로 아무런 지원도 없이 맨 땅에 헤딩하는 식으로 공부했던 과거로 회귀해야 한다는 것을 의미하는 것은 아니라는 사실을. 문제는 오히려 다른 데 있다.

> '인문학의 위기'라는 것이 무슨 선언을 하고 성명서를 낼 수 있는 성격의 것인지 잘 모르겠다. 그런 이벤트가 교육부나 학술진흥재단의 데스크 하나를 더 만들거나 유지시키는 데는 도움이 되겠지만, 그리고 거기서 떨어지는 부스러기를 잠시(앞으로 5년?) 얻어먹을 수는 있겠지만, 그들이 심각한 얼굴로 선언한 내용 자체와 무슨 상관이 있는지 모르겠다. 만일 정말로 사회를 향해 인문학적 가치를 훈계하려 했다면, 차라리 교육부, 아니 …… '교육인적자원부'의 폐지를 주장했어야 옳다. 그러나 대신 그들은 인문학 위기 운운하며 국가에 매달렸고, 그렇게 함으로써 '인문학 위기 선언'은 '인문학을 팔아먹는 장사의 위기 선언'이라는 비난을 자초했다. 그 점에서 그들이 한 인문학 위기 선언은 국가와 자본에 기생하지 않는 자립적이고 자생적인 인문학이 더 이상 이 땅에서 가능하지 않다는 '인문학 파탄선언'이다.

> ……
>
> 이런 상황에서 인문학도 돈이 될 수 있다고 인문학의 실용성을 강변하거나, "최근 들어 미국 기업의 인사담당자들이 신입사원으로서 인문분야 전공자들을 누구보다 선호한다"며 실용인문학의 희망을 점치는 대목에 이르러서는 그 무딘 감수성에 아예 기가 막힌다.(임상우, 「인문학의 실용성과 실용적 인문학」, 『2006 인문주간 학술제 '열림과 소통의 인문학'』 81쪽)[13]

과연 언필칭 '인문학의 위기'라는 게 있다면, 그것은 돈의 문제, 지원의 문제인가?

얼마 전에 '학진'에서는 "인문'학진'흥방안 아이디어 공모"라는 제목의 이메일을 인문학 관련 연구자들에게 보낸 바 있다. 이에 따르면 구체적인 공모주제는 첫째, '인문학 분야에서 발전시켜야 할 분야 또는 영역'으로 인터넷과 인문학 등 미래한국을 대비하기 위해 앞으로 발전시켜야 할 창의적인 분야와 원자료 수집 정리 등 지속적으로 지원하여 발전시켜야 할 기초 분야이고, 둘째로는 인문학 진흥을 위한 신규사업 아이디어로 인문학진흥과 관련한 연구, 교육, 학술활동 등 다양한 형태의 사업 형태 및 내용이다. 이 메일을 받아보고 언뜻 들었던 생각은 이제 국가적인 차원에서 무슨 지원 부족이니 하는 말은 하기 어렵게 됐구나 하는 것이었다. 비유컨대 실탄은 충분히 확보가 됐으나, 정작 확보된 실탄으로 멧돼지를 잡을 것인지 사슴을 잡을 것인지 결단을 내리지 못한 격이니 어찌 보면 행복한 비명이라도 질러야 할 것 같은 기분이 들었다는 것이다.

---

13) 박경미, 앞의 글, 115쪽.

사실 입장을 바꾸어 생각해 보면, 지원의 주체인 '학진'의 입장에서도 나름의 고충이 많은 듯하다. 비록 위탁받은 것이기는 하지만, 어쨌거나 손에 들어온 떡을 나누어야 하는데, 가장 문제가 되는 것은 분배의 원칙과 기준이다. 그것은 자칫 이 문제를 소홀히 하게 되면 사방에서 쏟아져 들어오는 비난의 화살을 피하기가 쉽지 않기 때문이다. 그렇기 때문에 매번 엄정하고 공정한 심사를 진행할 것을 다짐하지만, 바로 여기에 또 다른 함정이 놓여 있을 줄이야. 공정하다는 것은 누가 봐도 수긍할 수 있는 객관적인 잣대를 의미하는 터이나, 실제로는 그렇게 객관적인 잣대를 마련한다는 것이 그리 쉬운 일이 아니다. 그러다 보니 '학진'으로서는 모든 것을 계량화해 정량적인 평가 기준을 만들려고 한다. 우선 모든 학회의 학술지를 '등재지'와 '비등재지'로 나누어 줄을 세우고 이른바 '등재지'에 얼마나 많은 논문을 실었는가 하는 것으로 연구자에 대한 일차적인 검증에 착수한다.[14]

---

14) 그렇기 때문에 '학진'에 연구비 지원 신청을 한번이라도 해본 사람은 알 것이다. 알량한 연구비를 타내기 위해 거쳐야 하는 과정이 그리 녹록치 않다는 것을. 일단 지원을 하기로 마음먹은 바에야 심사위원들의 눈에 들기 위해 연구 제안서를 공들여 써야 하는 것은 물론이고, 지원 신청 자격을 의식해 평소에 논문 발표 등과 같은 기본 요건들을 잘 관리해 두어야 한다. 막상 연구비를 지원 받더라도 귀찮은 일이 끝나는 것은 아니다. 연구비는 정해진 항목에 따라 정확한 근거를 남기고 써야 하는데, 각각의 항목에는 여러 가지 제약이 있어 마음대로 쓸 수도 없다. 이건 하지 마라, 저건 요만큼만 써라 하는 등등의 족쇄를 걸어놓고 자 이제부터 마음껏 뛰어보라는 격이다. 그런데 인문학 연구자라면 누구나 느끼겠지만, 사실 인문학 연구에는 무슨 교보재나 실험을 위한 장비 등이 필요한 것도 아니다. 복사를 한들 얼마나 할 것이며, 책을 사봐야 얼마나 사보겠는가? 고작 값나가는 장비라는 게 노트북 컴퓨터 정도일텐데, 이것도 대부분 구입을 할 수 없게 돼 있는 경우가 많다. 그러다 보면 실제로 필요한 것은 기껏해야 연구자 인건비 정도일텐데, 아무튼 그럼에도 불구하고 받은 돈 남김없이 쓰려면 정작 논문 쓰는 것보다 어디에 돈을 쓰고 영수증을 어떻게 맞춰야 하는지가 더 어려운 난제로 남는 일이 비일비재하게 벌어지는 게 현실이다.

하지만 이런 식의 업적이나 논문 중심의 획일적인 잣대로 연구 지원을 하게 되면 또 다른 문제에 봉착하게 되는데, 그것은 '일반 대중의 눈높이에 맞춰 글을 쓰는' 연구자들이 자연스럽게 지원에서 배제된다는 것이다. '대중성'은 앞서 말한 '실용성'과 더불어 인문학 위기 담론에서 단골로 등장하는 키워드 가운데 하나다. 인문학의 위기를 운위하는 사람들 가운데 일부는 인문학이 위기에 봉착하게 된 이유 가운데 하나로 인문학 연구자들이 대중으로부터 괴리되어 그들만의 리그에 머물러 있었기 때문이라고 주장하기도 했다. 하지만 이것은 모순적인 주장일 수 있는데, 그것은 대중적인 글을 쓰는 사람들은 '학진'의 연구비를 지원 받기에 앞서 교수가 되기 힘들기 때문이다. 교수가 되기 위해서는 '학진'에서 인정하는 등재 학술지에 논문을 많이 실어야 하는데, 이런 논문들은 사실 '대중의 눈 높이'에 맞추기가 어려운 고답적인 글이 될 수밖에 없다. 그래서 인문학의 대중성을 강조하는 이들은 교수 채용 방식에서의 혁신이 있어야 한다고 주장하기도 한다.

> 한국의 인문학은 오로지 대학에만 존재한다. 더 구체적으로 말하면 대학교수만이 인문학을 할 수 있다. 인문학이 실용화되어야 한다는 것도 허구다. 학제간 연구라 해도 한계가 있을 수밖에 없다. 교수라는 직을 가지지 못하면 인문학 전공자는 학원에서 논술이나 가르쳐야 한다. 그런데 이 교수라는 직을 가지려면 논문, 혹은 고답적인 책을 써야 한다. 물론, 일반 사람들이 읽는지 아니 그들에게 도움이 되는 지는 별로 중요하지 않다. 젊은 인문학도의 나날이란 이렇게 어려운 책을 아니 고리타분한 책을 쓰고는 교수가 되려고 배고픔을 기다리며 인내하는 것이다. 그리고 교수가 되면 끝이다. 계속 대학이라는 틀 안에서 고답

> 적인 이야기만 하면 된다. 사회 혹은 다른 학문 분야에 대중에 신경을 쓰지 않아도 된다. 자신의 연구 결과를 반드시 대중화해야한다는 지식인의 의무도 없다. 다만, 의식 없는 대중들이 인문학의 중요성을 모르고 있다고 비난만 하면 된다.[15)]

그러나 이런 주장에도 함정은 있다. 대중성을 너무 강조하다 보면, 천박한 '대중추수주의'에 빠져 학문의 수준이 저하되기 때문이다. 대중에게 다가가는 것도 중요하겠지만, 대중이 모든 것을 정당화하고 합리화시켜주는 만병통치약은 아닌 것이다.[16)] 무엇보다 "'대중화'는 인문학의 과제 중의 하나이지만, 인문학 본연의 과제는 아니다. 또 어떤 측면에서 보면, 인문학은 대중화와 친화성을 이루는 관계에 있기도 하고 또한 긴장감을 형성해야 하는 관계에 있기도 하다."[17)] 분명 인문학이 현실로부터 괴리되어 고고한 상아탑에 안주해서는 안되겠지만, 그렇다고 대중의 기호에 영합하는 것만이 능사는 아니라는 것이다.

> '인문학의 대중화'는 인문학 자체의 연구 성과가 지난한 과정을 통해 상당한 수준이라 할 만큼 축적되었을 때, 보다 더 '대중화'의 정당성을 확보할 수 있을 것이다. 물음, 비판 그리고 반성에 근저한 인문학적 사유, 그리고 그 과정을 통해 문화적 토대를 다지려는 노력도 제대로 해보지 않은 채, 그저 허술하고 빈약한 상태에서 대중화를 성급하게 부

---

15) 김헌식, 「인문학의 위기는 없다」, 『데일리안』, 2006년 9월 22일.

16) "인문학이 대중과의 소통, 그리고 이에 따른 대중화를 전제로 해야만 성립하는 학문이라고 누군가가 주장한다면, 이 주장에 그리 흔쾌히 동의할 순 없다." (임성훈, 「인문학과 대중화」, 월간 『인물과사상』 2006년 11월호. 인물과 사상사. 206쪽.)

17) 임성훈, 앞의 글, 206쪽.

> 르짖다 보면, 인문학 자체는 물론이고 대중화도 제대로 이루어지지 않는다. 인문학의 위기를 타개할 대안으로 성급하게 인문학의 대중화를 내세우는 것은 '위기'에 얽혀 있는 복합적인 문화현상을 제대로 짚어내지 못한 피상적이고 편협한 입장이다. 대중화는 '인문학의 위기' 담론에서 획기적인 대안일 수 없다. 대안적 요소로서의 대중화는 도구적 성격이 너무 강하기 때문에 오히려 '인문학의 대중화' 상 그 자체를 흐리게 할 수 있다. 따라서 도구적 성격의 대중화가 아니라 인문학 본연의 과제에서 물음과 반성을 수반한 대중화가 우리가 지향해야 할 제대로 된 '인문학의 대중화'일 것이다.[18]

곧 대중성이 문제가 아니라, 학문의 바탕이 되는 기본 체력이 부실한 상태에서 무리하게 학문의 대중화를 부르짖고 추구하는 게 더 큰 문제라는 것이다. 실제로 연구 논문이 고답적이라는 말을 하기 전에 고답적인 논문이라도 제대로 쓰고 있는가 하는 자문을 해볼 필요가 있다. 세상 모든 이치가 그러하듯 뭔가를 하나 제대로 이루기 위해서는, 또는 어떤 경지에 오르기까지는 많은 각고의 노력이 필요하다. 어려움에 빠졌을 때 상투적으로 하는 말이 '기본(fundamental)으로 돌아가라'는 것인데, 기본기는 축구나 테니스와 같은 운동 경기에서만 필요한 것이 아니라 학문을 하는 데에도 불가결한 요소다. 그런데 우리 인문학의 기본은 제대로 다져져 있는지에 대해서는 의문의 여지가 많다.

> 우선 우리 저술가들, 인문학자들한테는 푸코나 데리다나 롤랑 바르트 같은 프랑스 인문주의자들이 구사하는 수사적인 즐거움, 이런 게

18) 임성훈, 앞의 글, 206~207쪽.

> 너무 없어요. 글을 맛깔스럽게 써주지를 않습니다. 너무 평면적이고 자료를 나열하는 정도예요. 분석과 해석을 통해서 해석학적인 입체의 면을 보여주지 않으니까 지루하더라구요. 그래서 저는 그때 우리 심사 위원들한테 그런 얘기를 했습니다. '우리 인문학 저자들한테 필요한 것은 수사학이고, 작문법이다'라고. 르네상스 때의 역사 서술이 수사학을 위해서라고 하는데, 그런 측면을 저간에 과학의 이름으로 너무 걷어내 버린 것이 아닌가 하는 생각이 들었습니다.[19)]

요즘 들어 '세계화'니 '글로벌'이니 하는 말들이 횡행하면서 영어로 강의를 해야 하느니 마느니 하는 주장들이 앞서거니 뒤서거니 나오고 있는데, 정작 쏟아져 나오는 논문을 보면 우리말이 안 되는 글들이 너무나 많다. 뭔가 앞뒤가 뒤바뀐 듯한 느낌이 들지 않는가? 우리말 글 쓰기가 우리 학문의 기본이라고 한다면, 이런 기본도 갖춰져 있지 않은 상태에서 무슨 '실용성'이니, '대중성'이니 하는 것을 운위하는 것 자체가 언어도단이라는 것이다. 혹자는 글의 내용을 따지기에 앞서 우리말 글 쓰기가 뭐 그리 중요하냐고 반문할 지도 모르겠다. 하지만 이 땅에 살면서 우리의 문제를 고민하고 그에 대한 해결 방안을 모색하는 것이 우리 학문이 나아가야할 길이라면, 마땅히 올바른 문장으로 글을 쓰고 맞춤법, 외래어 표기법을 지키는 건 글쓰는 사람의 기본 의무라 할 수 있다. 간혹 외국어 실력을 과시하면서 은근히 우리 글을 가볍게 보는 사람들이 있는데, 한국 사람이라고 우리 글을 다 잘 쓰는 것은 아닐진대, 우리 글 역시 영어나 중국어 공부하듯 열심히 갈고 닦아야 훌륭한 글을 쓸 수 있다. 글의 형

19) 황지우, 지승호, 「인터뷰: 황지우 한국예술종합학교 총장 | 천박한 시대에 묻는 한국문학」, 월간 『인물과사상』 2006년 11월호, 인물과사상사. 21쪽.

식이 제대로 갖추어져 있지 않은 글은 그 내용 역시 볼 만한 게 없는 경우가 많다. 결국 문제는 인문학의 위기 담론의 실체는 인문학 자체에 있는 것이 아니라, 인문학자에 있는 것인지도 모를 일이다.

3. '교수'와 '지식인', 또는 아버지의 부재

인문학 자체에 문제가 있는 게 아니라는 주장은 곧 우리의 인문학 자체의 학문적 발전 역량이 쇠퇴하지 않았다는 것을 의미한다.

> 우리 인문학 자체의 연구성과는, 불문학의 예만 보더라도, 괄목하게 발전해왔어요. 우리 학자들이 프랑스에서 불어로 쓴 논문이 현지의 유수 학술전문 잡지에 실리고, 우리 정부의 보조 없이 유수 출판사에서 책을 내는 수준입니다.[20]

과연 불문학뿐 아니라 우리의 인문학 연구 수준은 양적인 측면에서뿐만 아니라 질적인 면에서 20세기 중후반 이전에 비해 괄목할 만한 발전을 이룬 것이 사실이다. 그렇다면 과연 위기의 실체가 무엇인가 하는 데 다시 의혹의 눈길이 쏠리게 된다.

앞서 인문학 위기 선언을 했던 이들의 주장 가운데에는 인문학의 위기를 인문학 전공자의 감소에 따른 개설된 강의의 폐강과 그로 인한 인문대 교수들의 자리 보존의 어려움으로 설명하는 경우도 있었다.[21] 곧 학교를 운영해 나가는 입장에서는 지원 학생이 줄게 되면,

---

20) 「[특집 좌담] 老지성들에게 듣는다, 인문학의 길을……, 물질의 범람 속 잃어버린 '인간의 가치' 다시 찾아야」, 『한국일보』, 2006년 9월 20일.

강좌를 개설하는 비용을 고려할 때 수지를 맞출 수 없기 때문에 폐강을 할 수밖에 없을 것이고, 해당 과목의 교수는 강의를 맡을 수 없기에 학교 경영에 부담으로 남게 된다는 것이다. 그런데 사태가 이런 쪽으로 발전하게 된 것은 한편으로는 인문학과 같은 기초 학문을 홀대하는 사회적 분위기도 작용을 했겠지만, 다른 한편으로는 그 동안 인문학 분야에 대한 공급이 필요 이상으로 이루어져 온 게 사실이라는 측면도 고려해야 한다. 우리나라의 경우 1980년대 이후 대학정원이 폭발적으로 늘고, 대학도 과도하게 많이 설립되었다. 이에 따라 인문학 분야의 전공자 역시 지나치게 많이 배출되어 왔었는데, 이제 원래대로 제 자리를 찾아가는 일종의 수요와 공급의 조절이 이루어지고 있는 것은 아닌가 하는 생각이 들기도 한다는 것이다.[22] 그것은 앞서 말한 대로 "한국 인문학 수준이 날로 쇠퇴해간다는 증거가 없을 뿐만 아니라, 법과대학의 법철학자, 의과대학의 의사학자(醫史學者), 언론학과의 기호학자들은 '인문학 위기'를 거론하지 않고 있으니", 단순히 "인문학 위기는 인문대학 지망생들의 감소에 따른 인문대학 교수들의 존재론적 위기"[23]에 지나지 않는다는 것이다.

21) "인문계열 취업률이 떨어지고 입학을 기피하면서 문사철 관련 학과는 폐과 대상 1순위에 올라 있다. 대구가톨릭대가 내년부터 철학과와 불문·독문·이탈리아과의 신입생 모집을 중단하고 경남대도 지난해 독일·러시아·프랑스어과의 폐과를 결정하는 등 최근 3년간 철학과 12개, 독문과와 불문과 각각 4개가 문을 닫았다. 지방대일수록 인문대 기피현상은 심각하다." (강윤중, 「인문학 이제 '골방'서 뛰쳐나와 '실용'을 접목하라」, 『경향신문』, 2006년 9월 25일)

22) 이와 연관해서, '학진'의 인문학단장인 조성택은 "'인문학과의 위기와 인문학의 위기를 잘 구별해야 한다'고 지적했다. 현재 인문학 지원자가 적은 것은 80년대 대학정원이 크게 늘면서 과도하게 증가한 학과 정원 때문이라는 것이다. 조씨는 '수요를 초과해서 공급이 이루어졌기 때문에 겪는 구조조정 과정'이라며 '인문학과의 위기는 시간이 지나면 자연히 해소될 것'이라고 예측했다." (「인문학 위기 엇갈린 시선」, 『국민일보 쿠키뉴스』, 2006년 9월 26일)

24) 따라서 "인문학 전공 지망생이 줄어드는 것을 걱정하는 인문학자들이 상기해야 할 점은, 인문학은 전통적으로도 다수의 학문이 아니었다는 사실이다."25) 이렇게 볼 때 사실상 대학에서 인문학 전공자가 줄어든다는 것은 인문학 위기의 근본적인 문제가 아니라고 할 수 있다.26)

인문학의 위기가 인문학자의 위기임을 증명하는 예화로 가장 많이 거론되는 일이 한국에서 매년 배출되는 독어독문학·불어불문학 박사가 독일·프랑스 본토에서 배출되는 그것보다 많다는 사실이다. 인문학 위기는 상당 부분 인문학의 부재 때문에 빚어진 것이 아니라 인문학의 과잉, 나아가 중복 투자 때문에 초래된 측면도 분명히 강하다. 국립 서울대의 경우, 정운찬 총장 시절 국사학과·동양사학과·서양사학과를 사학과 하나로 통합하려 했으나, 교수진의 이해관계에 얽혀 무산됐다. 이번 인문학 선언의 진원지라 할 수 있는 고려대만 해도 사학 관련 학과는 한국사·동양사·서양사로 삼분돼 있다. 이런 과잉, 중복투

---

23) 고종석, 「인문학의 위기?」, 『한국일보』, 2006년 9월 27일.

24) "도대체 위기의 실체가 무엇이기에, 아무리 위기라고 외쳐도 개선될 여지는 보이지 않고 때만 되면 같은 아우성이 반복되는가. 과연 '인문학'의 위기인가, 아니면 한 중견학자의 독설처럼 인문학으로 밥벌이를 하는 인문학자와 인문학도의 위기인가." (「[세계초대석]원로학자 유종호에게 듣는다-인문학 왜 위기인가 초고속 산업화 과정서 인간본질 탐구 외면」, 『세계일보』, 2006년 9월 29일.)

25) 김용석, 앞의 글, 96쪽.

26) 한편 "학술진흥재단 인문학단장을 맡고 있는 조성택(철학) 고려대 교수는 이에 대해 '문제의 원인을 시장논리의 결과로 보는 것과 시장주의의 결과로 보는 것을 구별할 필요가 있다'고 말했다. 조 교수는 '현재 인문·사회과학 학과 지원자가 줄어드는 것은 공급 과잉 현상에 의해 초래됐다고 보는 것이 시장논리라면 이를 그대로 시장의 논리에 맡겨 둬야 한다는 시각이 시장주의'라며 '시장의 논리를 무시하지 않으면서도 시장주의에 맞서서 최소한의 인문학적 가치를 지키기 위해 국가가 개입할 필요가 있다는 것이 인문학 선언의 취지'라고 설명했다." (「인문학의 위기, 이념 과잉에 생산성 상실 '불임 학문'으로」, 『동아일보』 2006년 9월 19일)

> 자로 말미암아 인문학은 '박사 실업자'를 양산하는 지경에 처한 지 오래다. 따라서 인문학이 정말로 위기라면 그것을 치유하기 위해서는 무엇보다도 이런 잉여·과잉 부문들을 과감히 도려내야 한다. 이른바 대학의 구조조정이 필수적이다. 그럼에도 이번 인문학 선언 어디에도 구조조정이 필요하다는 언급이 없다. 그러기는커녕 작금의 인문학자들은 그런 작업들을 '인문학 죽이기'로 몰아가고 있다.[27]

항간에 우스개 말로 '거지'와 '교수'의 같은 점과 다른 점을 두고 이런 저런 비교를 한 것 가운데, 거지와 교수의 공통점 가운데 하나로 "되기도 힘들지만, 일단 되고 나면 그만 두기도 힘들다"는 말이 있었다. 과연 사람들은 흔히 직장 가운데 철밥 그릇을 이야기할 때 빼놓지 않고 교수직을 꼽곤 한다. 교수라는 직업은 그만큼 안정적이라는 말인데, 뒤집어 이야기하면 무능력하거나 불성실한 사람을 솎아내기도 그만큼 쉽지 않다는 말이 된다. 나아가 무능력한 사람들일수록 더 치열하게 자리에 연연하고 집착하게 마련이다. 그나마 능력이 되는 사람은 교수가 아니라도 다른 걸 해서 먹고 살 수 있지만, 그렇지 못한 경우 달리 방도가 없기 때문에 그럴 수밖에 없는 것이다. 요컨대 구조 조정과 같은 자체의 정화 노력이 전무하고 애당초 불가능한 현실이 인문학의 위기를 불러온 한 요인은 아닌가 하는 생각을 지울 수 없다. 그렇기 때문에 "이번 인문학 선언은 이와 같은 부문들에 대한 철저한 자기반성과 성찰 없이, 오로지 모든 책임을 대학과 정부당국에 돌리면서, 결국 그 책임을 재학생과 국민에 돌리려 하고 있다"[28]는 비판에서 자유로울 수 없는 것이다.[29]

---

27) 김태식, 「자기성찰 부족한 '인문학선언'」, 『연합뉴스』, 2006년 9월 25일.
28) 김태식, 앞의 글.

그렇게 보자면 “인문학 과목이 폐강되고, 박사학위를 받고 자리를 잡지 못하는 연구자들이 많다는 이유만으로 인문학이 위기에 처해 있다고 말할 수는 없다 …… 인문학에 의존한 ‘생계’의 문제가 인문학의 본질적 위기는 아니라는 것이다.” 오히려 “인문학자에게 필요한 것은 ‘자리와 돈’이 아니라 ‘인문학적 상상력과 자기 성찰적 자세’”이며 “우리의 인문학이 모든 잘못된 관행과 연줄을 넘어서려는 노력을 과연 했는가”라는 질문을 던져야 할 것이다.[30]

> 지식은 국가의 통치 수단으로 출발했고, 근본적으로 매판적 성격을 지니지만, 지식, 지식인의 독자적인 발전과 더불어 지식인 나름의 지조와 철학적 원칙 같은 것이 생겼다고 할 수 있다.…… 그리고 지식인들의 주체적인 자의식 형성의 기본적인 심리학적 동력은 아마도 ‘세계로부터의 이탈’일 것이다.[31]

따라서 중요한 것은 현실로부터 ‘비판적 거리’를 두고 항상 스스로를 되돌아보고 절차탁마하는 지식인 노릇이다. 여기서 자신의 기능을 팔아 생계를 유지해가는 직업인으로서의 ‘교수’와 “세상 사람들이 걱정하기에 앞서 걱정하고, 세상 사람들이 즐거움을 누린 뒤에야 비로소 즐거움을 누리는(先天下之憂而憂, 後天下之樂而樂歟)”(范仲淹, 『岳

29) “신라대 정상모(철학) 교수는 ‘인문학의 위기라는 데 전혀 동의할 수 없다’면서 ‘현재 우리 학계는 자연스러운 구조조정의 시기일 뿐’이라며 ‘소수 의견’을 개진했다. 정 교수는 ‘지금 우리 학계는 유사이래 국제 수준에 가장 근접해 있고 자생적 발전의 기틀이 이미 마련됐다고 생각한다’며 ‘학계가 시장경쟁원리 속에 편입되고 있다는 것이 가장 좋은 증거’라고 말했다. (「인문학의 위기, 이념 과잉에 생산성 상실 '불임 학문'으로」, 『동아일보』 2006년 9월 19일)

30) 박정신, 「인문학 위기 아닌 학자의 위기」, 『경향신문』, 2006년 9월 26일.

31) 박경미, 앞의 글, 109쪽.

陽樓記』) '학자', 곧 '독서인'[32]은 구분되어야 한다. 앞서 1980년대에 대학들이 우후죽순처럼 늘었다고 했는데, 뒤집어 말하면 이 시기는 교수가 되고자 했던 사람들에게는 우리 역사상 다시 찾아오기 힘든 일종의 특수를 누리던 때라 할 수 있다. 당시는 늘어난 대학의 숫자만큼 교수를 확보하기 힘들어 외국에서 유학을 채 마치지 못한 이들까지 입도선매로 영입을 했었다. 지금 생각해 보면 참으로 어이없는 일들이 벌어졌던 건데, 이 시기에 교수가 된 사람들은 개인적으로는 운이 좋았다고 할 수 있는지 모르지만, 따지고 보면 이들은 어쩌다 보니 줄을 잘 선 덕에 시대의 흐름에 편승하여 무임승차를 한 것인지도 모를 일이다. 문제는 무임승차 뒤에 올챙이 적 생각을 까맣게 잊고 학자로서의 본연의 자세와 임무를 다하지 않은 데 있다. 더 큰 문제는 그들이 혜택을 받았다는 사실조차 의식 못하기 때문에, 자신들이 지고 있는 역사적 책무에 대해서는 상대적으로 둔감하거나 무감각한 학문적 무의식이 팽배해 있다는 것이다. 이제 그들은 우리 학계의 중견이 되었으나 새로운 학문적 동력을 만들어내기도 전에 그들이 그토록 목에 핏대를 세우며 비판했던 선배와 다를 바 없는 신세

32) '독서인(讀書人)'이라는 말은 그저 '책을 읽는 사람'이라는 뜻으로 새길 수 있으나, 엄밀하게 말하자면 우리의 지식인에 해당하는 중국어 단어다. 그런데 공부를 하면 할수록 이 말이 뜻하는 바가 새롭게 와닿게 된다. 공자도 "다른 사람들의 이론적인 체계를 무비판적으로 수용만 하고, 자기성찰을 통해 자기의 것으로 만들지 못하면 남에게 끌려만 다닐 것이요, 자기의 이론체계만을 고집하고 다른 사람들 것과의 대비를 통해 득실을 따져보지 않으면, 그에 대한 신뢰도가 의심스럽게 된다(學而不思則罔, 思而不學則殆)"(『논어 · 위정』)고 했고, 또 "내 일찍이 온 종일 먹지 않고, 밤새도록 자지 않고 생각만 하였으되 유익한 것이 없는지라 배우는 것만 못하였다(吾嘗終日不食, 終夜不寢, 以思無益, 不如學也)"(『논어 · 위령공』)고 했다. 공자의 이 말은 부단히 독서를 통해 자신의 생각을 넓히고 다듬는 것의 중요성을 강조한 것이라 할 수 있다. 결국 공부의 본령을 책을 읽는 것이요, 지식인 역시 부지런히 책을 읽는 사람이라는 의미에서 '지식인'을 가리켜 '독서인'이라 일컫는 것은 지극히 적절한 말이라 하겠다.

가 되어 '오두미(五斗米)'에 목을 매는 학문적 월급쟁이로 전락했다.

교수라는 자리가 일단 되기가 힘들어서 그렇지 되고 난 다음에야 뭐 그리 힘들 게 있겠는가? 적당히 목에 힘주고 일 년에 논문 한 편 기제사 올리듯 써내고 동료 교수들과 원만한 인간관계만 맺고 있으면 교수 노릇하는 데 아무런 결격 사유가 없지 않은가? 오히려 현실에 대해 비판적인 시각을 갖고 시대와 불화하는 어찌 보면 진정한 의미에서의 '지식인'은 괴짜거나 별난 사람으로 치부되어 왕따를 당하거나 매장 당하는 경우를 종종 보게 된다. 그러니 우리 주위에는 '교수'는 넘쳐나는데, '지식인'은 찾아보기 힘든 것은 아닐까? 나아가 이들 교수들은 자신들의 학문적 성취에서 우러나오는 '권위'가 아니라, 교수라는 타이틀을 앞세워 공연히 사람들에게 겁을 주는 '권위주의'에 빠져 있으면서 완벽하게 자기 스스로를 기만하고 있다.

인문학을 전공한 노교수는 30년 가까이 같은 학교에서 똑같은 과목을 강의했다. 30년을 사용하다보니 강의노트가 너덜너덜 해어졌다. 대학원생 조교는 노교수의 해어진 강의노트를 타이핑해 컴퓨터 문서로 정리하면서 이렇게 권했다.

"선생님, 이참에 내용도 한번 정리하시죠?"

노교수는 무례한 제자를 한심한 듯 한참동안 쳐다보더니 이렇게 말했다.

"이 녀석아! 진리가 변하냐?"

필자가 다니던 대학원에서 '전설'처럼 전해지던 이야기다. 실화인지 허구인지는 확실치 않지만, 실화라고 믿는 대학원생이 더 많았다. '인문학 위기 선언'을 접하고, 제일 먼저 떠오른 것이 한동안 잊고 지내던 그 전설이었다.

나는 인문학 위기 선언이 그동안 학자들이 열심히 공부하지 않은 것, 뼈를 깎는 자기혁신을 단행하지 않은 것, 학문 후속세대에게 희망을 주지 못한 것, 사회의 통합은커녕 분열에 앞장선 것 등에 대한 진지한 자기반성에서 시작될 줄 알았다. 인문학 전공 대학원생으로 보낸 10여 년 동안, 내가 경험한 인문학의 위기는 그 이상도 이하도 아니었다.

대학에 입학할 때도, 대학원에 입학할 때도 과정이 끝나면 잘 먹고 잘 살 수 있을 것이라고는 단 한 번도 기대하지 않았으므로, 인문학자가 처한 경제적 곤란은 위기가 될 수 없었다.

같은 국문학자끼리도 전공이 고전문학이냐 현대문학이냐에 따라 서로의 논문을 읽고 이해하지 못하는 것이 현실이었으므로, 인간성 회복이니 사회적 통합이니 하는 거창한 구호가 인문학의 존립 근거가 될 수도 없었다. 논문과 학술서는 전공자가 아니면 도저히 읽을 수 없을 정도로 지엽적이고 난해했으므로, 대중의 무관심 역시 위기의 본질은 아니었다.

……

사회는 인문학을 통해 세상을 바라보는 지혜를 얻고 싶어하는데, 인문학자는 전공자가 아니고서는 도저히 알아들을 수 없는 언어로 독백만 하고 있다.

젊은이들을 인문대 대학원에서 내쫓는 것은 '무차별적 시장논리와 효율성에 대한 맹신'이 아니라, "이 녀석아! 진리가 변하냐?"는 오만과 만용, 시대착오와 자가당착이다.

해어진 강의 노트는 찢어버려야 한다. 진리가 변하지는 않지만, 해어진 강의노트에 적힌 것은 진리가 아니다. 설령 진리라 하더라도, 진리를 전달하는 방식은 대상에 따라 바뀌어야 한다. 인문학자들마저 남탓에 내몰리면, 이 나라는 정말로 희망이 없어진다.[33)]

---

33) 전봉관, 「"이 녀석아 진리가 변하냐?"」, 『한국일보』, 2006년 9월 26일.

지식인이 사라진 자리에 남는 것은 해당 분야에 대한 전문 지식을 자랑하는 '전문가'들이다. 이들 '전문가'들은 자신의 전문 분야 이외의 것에 대해서는 알려 하지 않으며,[34] 더 나쁜 것은 자신이 살고 있는 사회 현실에 대해 철저하게 눈을 감고 외면한다는 것이다.[35] 이들 전문가들은 "철학에서 사물을 대충-지극히 대충-이해하며, 더군다나 사물에 순응하는 것 이외에는 아무것도 배우려 하지 않는다."[36]

이렇듯 진정한 지식인을 찾아보기 힘든 것은 우리 학문의 태생적인 한계 때문이다. 사실 잘 알려져 있다시피 근대 이전의 우리 학문은 당시 종주국이라 할 중국에 비해 꿀릴 것 없는 학문적 성취를 이루었고, 나름대로 학문의 주체성도 있었다. 하지만 근대 이후 20세기 100년 동안 우리 학문의 전통은 심각한 단절을 경험해야 했으며, 그로

34) "빌라모비츠H.von Wilamowitz씨의 팜플렛이 동봉된 니이체 교수의 편지(전해지지 않음)가 도착했다. 최근의 야비한 사건들로 인해 리하르트는 지금의 세태를 절망적으로 인식하고 있다. 전문 교수들을 재육성하는 교수들마저도 자신들의 견문을 넓히는 인문적 교양을 지니고 있지 않다. 예를 들어 법학자는 문헌학이나 철학을 연구할 생각도 하지 않는다. 모두가 전문가들일 뿐이다.「KSA 15, 40」" (뤼디거 슈미트, 코르드 슈프레켈젠(김미기 옮김), 『쉽게 읽는 니이체, 짜라투스트라는 이렇게 말했다』, 이학사, 2005. 19쪽.)

35) "가령 작년 5월 고려대가 '무노조' 경영철학 말고는 별다른 철학을 보여주지 않는 이건희 삼성 회장에게 명예 철학박사 학위를 '팔았던' 때, 과문의 탓인지 인문대 교수들이 어떻게 저항했는지 잘 알지 못한다. 당시 대학 권력 쪽의 학생 징계 의지를 철회시킬 수 있었던 게 나름의 '인문학적 상상력'과 '비판적 지성'이 작용했기 때문이라고 믿지만, 그것들은 올해 초 통합 보건대 학생 차별에 반대한 학생들에 대한 보복성 출교 조처를 막지 못했다. 평소 '대학은 산업'이라는 이데올로기에 어떻게 저항했는지, '일용잡급직'으로 착취당하는 시간강사들이 학문 창달에 기여할 수 있도록 어떻게 연대했는지 잘 알지 못한다. 이 땅의 인문대 교수들도 기득권 성채의 수문장 노릇을 하고 있다는 점에서 다른 부문과 크게 다르지 않아 보인다. 무엇보다 인문학의 위기는 인문학자의 위기이며, 인문학자들 중 본받을 만한 사표는 찾기 어려운 데 반해 본받아선 안 될 인물이 더 많은 데서 비롯된 게 아닐까?" (홍세화, 「[시민편집인칼럼] 인문학의 위기……」, 『한겨레』, 2006년 9월 26일.)

36) 뤼디거 슈미트, 코르드 슈프레켈젠, 앞의 책, 17쪽

인해 우리 학문은 "마음놓고 본받을 수 있는 '생산적 권위'"[37]를 상실한 채 스스로를 돌아보고 귀감으로 삼아야 할 준거틀(the framework of reference)을 외부에서 찾아야 했다. 이를 두고 혹자는 서양의 경험적인 것을 매우 선험적으로 받아들였다고, 또는 우리 학계에는 온통 '지식의 수입상'만 넘쳐난다고 일갈했거니와, 이렇게 "실질적이며 창의적 긴장의 원천으로서 후학들의 삶과 앎의 행로를 부단히 채근하거나 계고(戒告)할 수 있는 권위 있는 참조인간들(Bezugspersonen)이 없었던"[38] 불행한 역사는 오늘날 우리 인문학이 위기에 빠졌다는 진단을 내리는 데 한 요인으로 작용한다고 할 수 있다. 곧 오늘날 우리 인문학이 위기에 빠졌다는 진술이 사실이라면, 그러한 위기의 요인 가운데 하나는 우리 인문학이 태생적으로 "학문적 아버지의 부재"라는 한계 위에 시작되었기 때문이라고 할 수 있는 것이다.

애당초 기대고 의지할 '학문적 아버지'가 있지 않았기에, 곧 서로의 학문적 역량을 가늠하고 형량할 방법이 없었기에, 어쩔 수 없이 택한 것이 '유학'이라는 외길뿐이었다. 나는 저 이의 공부의 깊이를 알 길이 없다. 하지만 그는 미국의 하버드대학에서 박사 학위를 받았단다. 나는 따져 물을 방법이 없지만, 하버드대학이 그에게 박사 학위를 수여했을 때는 그럴 만한 이유가 있을 터이니, 그는 필경 실력이 뛰어날 것이다. 유학은 곧 내 자신이 상대의 능력을 헤아릴 수 없으니 다른 사람의 안목에 기대 그에 대한 평가를 하겠다는 것, 그 이상도 그 이하도 아니다. 그러니 흔히 선진국이라 부르는 나라에서는 그렇게까지 외국 박사에 목을 매지 않으나, 우리는 아직까지도

37) 김영민, 「스승의 기운이 현신한 제자」, 『한겨레』, 2007년 1월 12일.
38) 김영민, 「스승의 기운이 현신한 제자」, 『한겨레』, 2007년 1월 12일.

외국 박사라면 사죽을 못 쓰고, 특히 하버드를 비롯한 미국 박사들에게는 거의 무제한의 신뢰를 보내고 있다. 물론 20세기 중반까지는 불행했던 근현대사의 질곡으로 말미암아 우리의 학계가 워낙 척박한 환경에 놓여 있었기에, 어쩔 수 없이 외국에 나가 선진 문물을 공부하고 돌아왔어야 했는지 모른다. 문제는 그런 유학이 1세대를 거쳐 2세대, 3세대, 이런 식으로 계속 되고 있으며, 이런 상황은 앞으로도 바뀌지 않을 거라는 데 있다. 시작은 학문의 척박함에서 비롯되었으나, 그 끝은 학문의 천박으로 끝나게 될 이 악순환의 고리가 언제쯤 끊어질지는 아무도 모른다. 아니 그런 시도 자체가 없으니 이런 현실 속에서 무슨 변화가 일어날 것을 기대한다는 것 자체가 무망한 일이 될 터이다.

하지만 이 시점에서 묻노니, 우리에게 유학은 학문의 길에 들어서는 유일한 통로인가? 유학은 모든 문제를 해결해 주는 만병통치약인가? 과연 유학을 갔다 온 사람들의 실력은 믿을 만한가? 국내에서 공부한 사람들의 실력은 외국에서 유학한 사람들보다 뒤지는가? 이 모든 질문에 대한 해답은 잘 모르겠다는 것이다. 유학이 유일한 통로라는 것을 무엇으로 증명하겠는가? 유학이 모든 문제를 해결할 수 있을 거라는 근거는 무엇인가? 국내에서 공부한 이가 외국으로 유학갔다 온 이들보다 실력이 못할 거라는 주장은 무엇으로 뒷받침되는가? 백번을 양보해서 초기에는 어쩔 수 없이 유학을 갔다 왔다 하더라도, 1세대나 2세대에 속한 이들은 더 이상 유학이 필요 없도록 열심히 학생들을 가르쳤어야 하지 않았을까? 자신들이 가르쳐 놓고 국내에서 공부한 학생들은 유학생보다 실력이 못하다고 강변하는 것은 결국 누워 침 뱉는 일이 되지 않는가? 실상 국내에서 공부한 학생들

실력이 못하다면 그것은 공부할 시간이 그만 못하다는 게 될텐데, 과연 그들의 시간을 빼앗은 건 또 누군가? 혹시 자기가 데리고 있는 조교를 연구실에서 전화나 받게 하고, 개인적인 심부름이나 시키면서 마치 몸종 부리듯 한 것은 아니었는지. 곰곰이 돌아볼 일이다. 이 모든 것은 우리 학문의 천박성을 그대로 드러내 보여주고 있다.

4. 맺음말

양혜왕(梁惠王)이 맹자에게 물었다.

"선생께서는 천리를 멀다 않고 찾아오셨으니, 또한 내 나라를 이롭게 하실 방법이 있으신지요?"

맹자가 대답했다.

"왕께서는 하필이면 이익을 말씀하십니까? 역시 인의가 있을 뿐입니다. 왕께서 '어떻게 하면 내 나라를 이롭게 할 수 있을까' 하시면, 대부들은 '어떻게 하면 내 집안을 이롭게 할까'라고 합니다. 사서인(士庶人)들은 '어떻게 하면 내 몸을 이롭게 할까'라고 합니다. 위와 아래가 서로 이익을 다투면 나라는 위태로워집니다." (『맹자·양혜왕 상』)

'콩 세는 사람(bean counter)'이라는 표현이 있다. "주로 통계 수치와 이윤 문제를 중심으로 주장이나 논거를 펼치는 사람을 가리키는 말"인데, 이들은 "시장성과 수익성을 지고의 신으로 떠받들면서 모든 현상을 경제 문제로 환원하여 설명하고 진단하고 처방"[39]하는 것을 능사로 여기고 있다.

39) 남진우, 「콩 세는 사람들과 인문학의 위기」, 『한국일보』, 2006년 9월 29일.

돌이켜 보면 성과주의를 앞세우고 실용성과 대중성을 강조하게 된 이후로 인문학은 늘상 위기였다.

> "인문학이 위기라는 말은 맞습니다. 하지만 반복되는 위기 선언은 정확하게 말하자면 '대학의 위기'라는 맥락으로 들립니다. 인문학 교수들의 위기 선언은, 근본적인 인문학의 위기 차원보다도 인문학과 지원자가 현격하게 줄어들고 교양과목이 축소되고 졸업생들의 취업이 어려운 상황을 피부로 느끼기에 나오는 것 같습니다. 인문학만의 고립된 위기 상황은 아닙니다. 전체적으로 문학의 위기, 교양의 위기, 대학의 위기, 고급문화 전반의 위기 상황이라고 볼 수 있지요. 이러한 현상은 범세계적인 현상이기도 합니다. 과거 인쇄술 중심의 책 문화에서 인터넷 전자문화로 옮아가는 문명의 전환기에서 발생하는 현상이지요."[40]

나아가 이 모든 것은 효율성과 시장성을 극단적으로 추구하고 학문 연구를 계량화하여 통제하려는 학문의 신자유주의에서 비롯된 것은 아닌지 하는 생각이 들기도 한다. 그런데 작금의 인문학 위기 담론을 보면 위기의 본질이 무엇인지가 분명하게 드러나 있지 않다. 심지어 서로 앞뒤가 맞지 않는 주장이 한데 뒤섞여 있는 경우도 있다.

> 그런데 인문학을 살려야 한다는 주장은 서로 모순되는 논거를 동시에 취한다. 학문이 시장원리에 휘둘려서는 안 된다는(돈벌이와 관련된 학문만 해서는 안 된다는) 명제와, 인문학이야말로 시장 친화적이라는(인문학이 제대로 돼야 돈이 벌린다는) 명제다. 최근에도 이런 모순되는 말이 한 인문학 교수 입에서 나오는 걸 듣고는 쓴웃음을 짓지 않을

---

40) 「[세계초대석]원로학자 유종호에게 듣는다-인문학 왜 위기인가 초고속 산업화 과정서 인간본질 탐구 외면」, 『세계일보』, 2006년 9월 29일.

수 없었다. 아무래도 논리학은 인문학이 아닌 모양이다.[41]

이런 지적이 전혀 틀리다고 할 수는 없지만, 실상을 알고 나면 쓴 웃음까지 지을 일은 아니다. 아마도 인문학은 이를테면 고대 수메르 문자의 해독에 대한 연구처럼 시장의 논리가 애당초 무의미한 것[42]으로부터 끊임없이 대중과 호흡하고 그들의 눈높이에 맞추기 위해 노력해야 하는 것까지 다양한 스펙트럼을 갖고 있는 것인지도 모른다. 그런데 철저하게 시장의 논리로만 보자면, 대중적인 작업은 상품성이 있어 그 자체로 굴러갈 것이기에, '학진'과 같은 공공 기관의 지원은 앞서 고대 수메르 문자 해독과 같이 고비용 저효율(high-end)의 공공재적 성격의 연구에 집중되어야 할 것이다. 그런데 현재 '학진'의 지원은 주로 단기적이고 가시적인 결과물을 중시하는 쪽으로 치중되고 있다.[43]

그러다 보니 미국의 옛 서부 시대 현상금 사냥꾼처럼 '학진'의 지원금을 따내기 위해 동분서주하는 이른바 "꾼"들이 '학진'의 지원금을 독식하고 나눠먹는 일도 벌어지고 있다. '학진'에 지원금을 신청해 본 사람들은 누구나 느끼는 것이지만 도대체 누가 무엇 때문에

41) 고종석, 앞의 글.

42) 이를테면 "옥스퍼드대의 경우 교수직 한 자리를 유지하는 데 기금이 한 해 기준으로 180만 파운드(약 32억 원)나 든다. 그럼에도 불구하고 학문적 가치가 있다면 현재 사용하지 않는 고어라도 담당교수를 유치해 연구를 지원한다. 이집트의 옥시린쿠스에서 발굴된 파피루스만을 연구하는 교수를 따로 둘 정도다." (김진경, 「美-유럽 대학의 인문학 교육 실태는……」, 『동아일보』, 2006년 9월 27일.)

43) "학술진흥재단은 전체 연구지원비의 80%를 1년 단위 과제에 투입한다. 고려대 조성택(철학) 교수는 '동북공정이 나오기까지 중국은 5~10년을 투자했는데 우리의 대응은 초라한 수준'이라고 말했다." (이철재.권근영, 「추락하는 인문학, 세상변화 못 읽었다」, 『중앙일보』, 2006년 9월 26일)

지원을 받고 지원을 못 받는 건지 그 기준에 대해 선뜻 수긍하고 받아들이기 어려운 게 사실이다. 물론 '학진'도 잡음을 막기 위해 여러 단계의 심사 과정을 통해 객관성을 확보하기 위한 노력을 기울이고 있지만, 심사에 참여하는 이들의 면면이 거기서 거기라 결국 궁극적인 신뢰는 얻지 못하고 있다. 여기에 "선택과 집중"이라는 명목 하에 더 많은 금액을 소수에게만 지원을 하고 있는데, 사실상 인문학의 진흥이라는 측면에서 보자면, 차라리 더 많은 사람들에게 골고루 혜택을 나누어주는 게 낫지 않은가 하는 생각이 들기도 한다. 결국 이런 식의 지원을 통해 위기에 빠져 있다고 주장하는 인문학이 위기 탈출을 선언하고 면모를 일신할 수 있는지에 대해서는 의문의 여지가 있다. 과연 인문학의 위기는 "학진"과 같은 국가 기관의 지원 부족 때문이고, 경제적인 이유 때문인가?[44]

> 우리 사회에 빗발치는 이 변화의 지향점은 모두가 생산과 이윤의 극대화이고, 이를 위한 능률과 효율을 계산하여 변화를 꾀한다. 이 밑바닥에는 인간의 탐욕이 깔려 있다. 인간의 모든 삶을 이처럼 '경제주의'의 잣대로 바라보고, 인간의 삶을 이 '경제주의'에 가두고자 한다. 우리가 말하는 풍요로운 삶도 부, 권력 그리고 명예와 이어져 있다.
>
> 우리의 대학도 이러한 경제주의에 함몰되어 있다. 총장이라는 자리도 돈을 끌어오는 자리가 되었으며, 논문의 내용이나 질보다는 그 수

44) "학진"의 지원 제도에 대해 가장 비판적인 태도를 보이고 있는 사람은 '인문학 위기' 담론에 대해 풍성한 논의를 쏟아내고 있는 조동일이다. 그는 자신의 저서 『이 땅에서 학문하기』 제3부 '학문 정책'에서 선진 학문을 위한 학술 진흥 방책에 대해 논의하고 있는데, 그에 의하면 학문을 죽이는 정책과 살리는 정책이 있다면, 현재와 같은 "학진"의 학술 지원 정책은 학문을 죽이는 정책이라고 혹평하면서 그 나름의 대안을 제시하고 있다. 자세한 것은 그의 책을 참고할 것.

의 많고 적음으로 교수를 등급 매기고 있다. 이 경제주의에 매몰된 대학에서는 일자리 찾기에 수월한 분야가 인기를 얻고, 그렇지 못한 인문학을 비롯한 기초학문 분야의 강좌는 폐강되기도 한다.

……

이처럼 인간의 삶을 경제주의로만 이해하는 현실에서 낙담과 좌절을 맛본 인문학자들의 '집단적 행동'이 나올 수 있었을 것이다. 인문학에 몸담고 있는 우리는 동료들의 분노를 충분히 이해하고 있다.

그러나 정말 큰일이다. 이들이 집단적으로 선언한 그 내용이 비인문학적이어서 큰일이라는 말이다. 이 열악한 인문학 환경에서 그래도 인문정신으로, 그리고 자존심으로 견디어 온 인문학자들이라면, 우리들의 이야기보다는 우리 공동체의 이제와 올제의 주요 문제들, 이를테면, 통일·평화·양극화·교육문제·환경·생명·여성 따위에 대한 인문학자들의 고뇌와 번민을 담았으면 얼마나 좋았을까. 이 선언이 신자유주의와 일방적 세계화의 물결에 함몰되어 경제주의로만 모든 것을 바라보고 있는 우리 사회에서 인간이 궁극적으로 추구해야 할 가치에 대한 인문학자들의 깊은 번뇌를 담았으면 얼마나 좋았을까.

그런데 이 '선언'의 내용은 우리 인문학 밖의 경제주의를 고스란히 모방하고 답습한, 그야말로 비인문학적이다. 이 '선언'은 이 시대 인문학 하기가 힘들다며 인문학자가 지켜야 할 마지막 자존심을 팽개치고 있다. 성경에 나오는 '에서'가 팥죽 한 그릇에 장자의 신분을 판 것처럼 말이다.

이들의 공개선언은 더 넓은, 더 좋은 연구와 교육환경을 위해 권력에 대고 '돈과 자리'를 애걸했다. 인문학자들이 '장자 됨'을 스스로 포기했다. 스스로 나서서 학문과 학자들을 돈으로 관리하는 학술진흥재단과는 다른 인문학과 인문학자들을 관리하는 권력기관의 설치를 요구하고 돈을 달라고 애걸했다. 알렉산더 대왕 앞에서 당당했던 가난한 인문학자 디오게네스의 행보는 어디로 갔나.

> 우리는 우리 사회가, 우리 대학이 경제주의에 노예 되어 있다면, 앞서 그 '노예 됨'을 일깨우고, 이를 정면에서 돌파하고자 한다. 권력과 부 그리고 허황된 명성에서 독립하고 해방되어 인간의 어제, 이제 그리고 올제를 번민하고 고민하고자 한다. 인문정신으로, 그리고 인문학의 상상력으로45)

과연 인문학의 위기는 그 실체가 있는가? 위기가 실재하는 것이라면 그 타개책은 무엇인가? 진단도 분분하고, 그에 따른 처방도 분분하다. 우리가 살아가는 현실은 늘 고르디우스의 매듭과 같이 얽혀 있다. 하지만 주지하는 대로 알렉산더 대왕과 같이 일도양단하는 식으로는 이런 매듭을 절대 풀 수 없다. 얽혀 있는 매듭과 같은 현실 앞에서 문득 근본을 생각하고 돌아본다. 언필칭 인문학을 연구하는 이들은 무엇 때문에 이 길에 들어섰는지.

> 공자는 말했다. "군자는 학업에 힘을 기울여야 할 것이지, 먹고사는 것에는 힘을 기울이지 않는다. 농사를 짓되 굶주림이 그 가운데 있을 수도 있으나, 배움에는 봉록이 그 가운데 있는 것이다. 그래서 군자는 학업을 근심할 뿐이지, 가난한 것은 근심하지 않는다.(君子謀道不謀食. 耕也, 餒在其中矣, 學也, 祿在其中矣. 君子憂道不憂貧.)"

『중국어문학론집』 제48호, 서울: 중국어문학연구회. 2008.02.

45) 박정신, 「인문학 안팎의 '경제주의'」, 『경향신문』, 2006년 09월 29일.

'인문학 위기' 담론에 대한 비판적 고찰 2

–'인문학의 위기'인가 '중문학의 위기'인가?

1. 들어가면서

연전에 모 대학 문과대 교수들의 '인문학 위기' 선언으로 촉발된 일진광풍과도 같은 논란이 일었던 적이 있다. 당시 인문학의 위기 문제를 놓고 신문, 잡지 등과 같은 다양한 매체에서 갑론을박이 이어지고 있었는데, 정작 나의 관심을 끈 것은 이러한 논란에서 중문학이 위기에 빠졌다거나 중문학 위기의 본질이 무엇인가 등과 같이 중문학과 연관된 논의를 찾아보기 힘들었다는 것이었다. 그렇다면 중문학은 그런 위기와 무관하게 잘 돌아가고 있으며, 위기의 중심에서 벗어나 무풍지대에서 요순시대와 같은 태평성대를 누리고 있다는 것인가? 이에 대한 논의를 위해서는 우선 20세기 이후 우리나라 중문학 연구를 거칠게 몇 단계의 시기로 나누고 이에 대해 간략하게 개괄한 뒤 각 시기마다 나름의 의의를 따져볼 필요가 있다.

지정학적 영향으로 우리나라가 중국과 오랫동안 문화적으로 밀접한 관계를 맺어왔다는 것은 주지의 사실이니, 이에 대해서는 길게 이야기할 필요가 없을 것이다. 하지만 20세기 이후 일제의 식민지 통치와 한국전쟁 등을 거치며 한 동안 우리나라 중문학 연구는 오랜 기간 단절의 시간을 보내야 했다. 다른 분야에서도 마찬가지였지만, 일차적으로는 먹고사는 문제를 해결하느라 무슨 학문이니 하는 것을 돌볼 겨를이 없었고, 나아가 분단이라는 시대 상황은 학문 연구의 "이념적 지형"을 협소하게 만들었다. 그로 인해 연구자의 숫자나 학문적 소양을 놓고 볼 때, 양적인 면에서 뿐 아니라 질적인 면에서도 수준 있는 연구를 수행할 여건이 전혀 마련되지 않았고, 무슨 학문 연구의 방법론마저도 따질 계제가 아니었기에, 1980년대 초까지만 해도 몇 몇 연구자들이 고군분투하고 있었음에도 우리의 중문학 연구는 사실상 황무지라 해도 과언이 아닐 정도였다.

그리하여 우리나라에서 중문학 연구는 사실상 1980년대에 들어서야 본격적으로 시작되었다고 할 수 있다. 우리의 중문학 연구가 1980년대에 발전의 전기를 맞게 되었다는 것은 우선 중문학 연구에 종사하는 연구자와 그들이 발표한 논문 숫자가 이 시기에 폭발적으로 늘어났다는 것으로 입증된다. 나는 한 논문에서 1980년대에 우리의 중문학 연구가 발전의 전기를 맞게 된 이유로 다음 몇 가지를 제시한 바 있다.[1)]

---

1) 1980년대와 1990년대 우리나라 중문학 연구 가운데 근현대문학과 고대소설 분야만을 특정하여 그 의의를 논한 글로는 다음과 같은 것들이 있다.
임춘성, 「한국에서의 중국 근현대문학 연구의 현황과 과제」, 제17차 중국학 국제학술대회 『발표론문요지』, 서울: 한국중국학회, 1997.8.
최용철, 「소설연구의 방향설정을 위한 공동의 노력-중국소설연구회의 어제와 오늘」, 『중국소설연구회보』 제21호, 서울: 중국소설연구회, 1995년 3월.
최용철, 「한국에서 중국소설연구의 현황과 과제」, 제17차 중국학 국제학술대회 『발표론문요지』, 서울: 한국중국학회, 1997.8.22-23.
최용철, 「한국의 중국고전소설 연구개황」, 『중국소설연구회보』 제14호, 서울: 중국소설연구회, 1993.6.

우선 의도했든 의도하지 않았든 연구자의 수적 증가와 연륜의 축적을 통해 내적 발전의 계기가 주어져 자연적인 발전이 이루어졌다는 것이다. 이것은 달리 말하자면 정치·경제 등 사회의 다른 분야와 마찬가지로 중국소설 연구 역시 발전할 때가 되었으니 발전했다는 것을 의미한다.

다음으로 들 수 있는 것은 국내외 정세의 변화와 경제 발전이다. 여러 가지 크고 작은 사건들로 점철되어 있는 우리의 근현대를 돌이켜 볼 때, 1980년이 갖는 의미는 자못 심중하다 하겠다. 폭압적인 군사정권이 들어섬과 동시에 사회 전반에 걸쳐 자행된 억압구조는 아이러니컬하게도 다양한 형태의 민주화 운동으로 표출되었다. 얼핏 보면 정치적인 억압과 민주화 요구는 서로 양립할 수 없는 것처럼 보이지만, 기실 양극단은 항상 상호보완적인 관계에서 서로 공생해 왔는지도 모를 일이다. 아무튼 사회 전반에 불어닥친 민주화에 대한 열망은 학계에도 적지 않은 영향을 주었는데, 그것은 주로 기존의 학문 연구에 대한 반성적 성찰에 바탕한 새로운 방법론의 모색 등으로 표출되었다.

그러는 와중에도 우리나라의 경제는 발전에 발전을 거듭해 학술연구에 필요한 물적 기반을 제공하기에 충분할 정도가 되었다. 이러한 경제발전을 통해 새롭게 등장한 중산계층의 자본축적은 전업적인 학문 연구자들을 대량으로 쏟아내었다. 다른 한편 독재 정권이 민심수습용으로 시혜의 차원에서 풀어놓은 각종 규제의 철폐는 대학의 양적 팽창을 불러왔고, 그에 필요한 교육 인력의 수요 확대는 중산계층 출신의 학문연구자들을 학계로 끌어들여 이들이 학문 연구에 전념할 수 있는

홍상훈, 「해방 이후 50년의 성과와 문제점-중국 고대소설 연구를 중심으로」, 『동아문화』 제34집, 서울: 동아문화연구소, 1997.
이 가운데 최용철의 글들은 단순히 연구 성과를 나열하는 데 그쳐 별로 논의할 만한 것이 없는 반면에, 근현대문학 연구에 대한 임춘성의 글과 고대 소설 연구에 대한 홍상훈의 글은 나름대로 그 당시 상황에서 각각의 연구 분야가 갖고 있는 역사적 의의와 향후 연구 방향에 대한 모색을 하고 있다는 점에서 여전히 일독할 만한 가치가 있다.

> 바탕을 제공하였다. 한 마디로 1980년대는 사회 전반에 걸쳐 많은 희생과 시련이 요구되었던 시기이기도 했지만, 학문의 발전과 성숙을 위한 사회·경제적 인프라가 확충되어 새로운 도약의 계기가 주어졌던, 어떻게 보면 몸은 비록 고달프나 미래에 대한 '낙관적 전망'을 꿈꿀 수 있었던 행복한 시기였다고도 할 수 있다. 곧 80년대는 질적 변화를 위한 역량의 축적과 준비 단계라 할 수 있고, 이러한 토양을 바탕으로 중국소설 연구는 80년대 말 이후 비약적인 발전을 예비하게 된다.[2)]

어찌 중국 소설 분야만 그랬겠는가? 1980년대는 우리의 중문학 연구가 본격적으로 꽃을 피우기 위한 기초를 마련한 시기라 할 수 있다. 이를 바탕으로 1990년대에는 양적인 측면에서 일찍이 볼 수 없었던 급격한 팽창이 이루어졌으며, 1992년에 전격적으로 단행된 중국과의 수교는 이러한 양적 팽창에 결정적인 역할을 하였다. 중국과 수교 이후 국가적 차원에서의 교역과 교류 상대가 타이완에서 중국으로 바뀜에 따라 일반인들은 이에 대해 많은 기대를 품고 너나 할 것 없이 중국에 눈을 돌리게 되었다. 그리하여 대학에서 중어중문학과는 일약 전망이 좋은 유망 학과가 되어 우수한 인재가 몰려들게 되었으며, 중국으로 유학을 떠나는 학생의 숫자도 비약적으로 늘게 되었다. 이렇게 볼 때 중국과의 수교는 당시까지 우리가 갖고 있던 중국에 대한 관점을 일거에 뒤바꾸어 놓은 일종의 코페르니쿠스적 전환이라고까지 말할 수 있다.

이와 같은 양적 팽창은 중문학 연구의 저변을 확대하고 강화하는 효과를 가져와 우리의 중문학 연구는 이제껏 볼 수 없었던 호황을 누

---

2) 조관희, 「한국에서의 중국소설 硏究-해방 이후에서 현재까지(1945~1997)」, 『중국소설논총』 제7집, 서울: 한국중국소설학회, 1998.3, 32쪽.

리게 되었는데, 그 이면에는 우리나라의 중문학 연구가 태생적으로 안고 있는 몇 가지 한계가 내재해 있었다. 나는 앞선 논문에서 우리 중문학 연구가 안고 있는 근본 문제로 근대 이전에는 '사대(事大)'와 '자존(自尊)', 그리고 근대 이후에는 '개화(開化)'와 '위정척사(衛正斥邪)'라는 두 가지 딜레마를 제시한 바 있다.[3] 하지만 이제 와 돌아보면 근대 이후 우리의 중문학 연구가 맞닥뜨린 가장 큰 딜레마는 일제의 제국주의 침략과 한국전쟁을 거치며 받아들일 수밖에 없었던 '전통의 단절'과 '서구 문화, 그 중에서도 미국 문화의 일방적 수용'이라는 이중의 굴레였다. 식민지 경험과 한국전쟁은 화려했던 문화 전통의 맥을 끊어놓았고, 그런 공백을 비집고 들어온 서구의 문물은 우리를 정신적으로 종속시켜 또 다른 문화 식민지를 낳게 되었다. 그리하여 20세기 중·후반 이후 학문 연구자는 누구라 할 것 없이 '전통의 창조적 계승'에 힘써야 할 뿐 아니라 '우리보다 앞선 세계 문화의 흐름'을 따라잡기 위해 고심참담의 분투노력을 기울여야했다.

---

3) "우선 근대 이전에 두 나라 사이에 이루어진 영향 관계는 동등한 것이었다기보다는 중국에 대한 우리의 일방적인 흠모에 지나지 않았다고 할 수 있다. 물론 지나친 중국 의존으로부터 벗어나고자 했던 우리의 노력이 전무했다고 볼 수는 없겠지만, 그러한 노력에도 불구하고 우리의 몸피에 각인된 우리 역사의 흔적은 '존화(尊華)'의 혐의를 벗을 길이 없어 보인다. 곧 근대 이전에 우리의 중국학이 안고 있던 문제의식은 '사대(事大)'와 '자존(自尊)'의 딜레마였던 것이다.
그러나 근대 이후의 상황은 그 이전보다 더 복잡한 양상을 띠고 있다. 근대 이후, 달리 말해서 서구세계와의 조우 이후 우리가 맞닥뜨린 현실은 우리로 하여금 두 번째 딜레마에 빠지게 했다. 그것은 '개화(開化)'와 '위정척사(衛正斥邪)'라는 명목으로 현현된 이중의 그물망이다. '개화(開化)'가 서구로부터 받아들인 계몽적 이성에 입각해 과거로부터 전수받은 전통과 역사를 송두리째 부정하려는 시도라고 한다면, '위정척사(衛正斥邪)'는 그와는 정반대의 입장에 서서 과거의 전통적 역사의식에 입각해 서구적인 근대 문화 일반을 배타적으로 축출해내고자 하는 움직임이라 할 수 있다. 이러한 구도는 근대가 시작된 금세기 초에 형성되어 현재까지 거의 20세기 전반에 걸쳐 우리를 옭죄고 있다."(조관희, 앞의 글, 28쪽.)

2. 문제의 제기

역사의 발전은 '양질전화'의 변증적 과정을 거쳐 이루어지지만, 그렇다고 양적인 팽창이 반드시 질적인 발전으로 이어지는 것은 아니다. 양적인 축적은 발전을 위한 기본적인 전제이긴 하지만, 여기에는 주체의 자각과 능동적인 노력이 촉매 역할을 해야 한다. 그런 면에서 20세기 후반 이후 우리나라 중문학 연구의 양적 팽창은 축복인 동시에 저주일 수 있다. 사실 우리나라 중문학 연구자가 급격하게 늘게 된 주요 원인은 앞서도 말했듯이, 1980년대에 갑자기 늘어난 대학의 설립으로 인한 학문 연구자에 대한 수요 때문이었다. 별다른 준비 없이 갑작스럽게 진행된 대학의 설립과 중문과의 신설로 각 대학에서는 학과는 개설해놓았는데 학생을 가르칠 교수를 구할 길 없어 당시 유일한 유학 대상국이었던 타이완(臺灣)에서 공부하고 있는 대학원생을 입도선매하는 일까지 벌어졌다. 그리하여 1990년대 초까지만 해도 중문학 연구자들은 다른 학문 영역에 비해 비교적 수월하게 대학에 자리를 잡을 수 있었다.

문제는 이러한 호황이 계속적으로 이어지지 않았다는 데 있다. 약 10여 년 남짓 이어지던 호시절은 어느덧 대학에서 필요한 수요가 어느 정도 채워지고 난 뒤 빠른 속도로 저물고, 비교적 손쉽게 교수가 되었던 선배 연구자들을 보고 학문 연구의 길로 들어섰던 이른바 후속 세대는 뒤늦게나마 막차를 탄 선배의 뒷모습을 망연자실 바라보며 기약 없는 비정규직 인생으로 내몰리게 되었다. 여기에서 한 가지 지적해야 할 것은 사실 학문 연구 수행 능력과 대학에서 자리를 잡는 것 사이에는 별다른 필연적인 연관이 없을 수도 있다는 것이다. 곧 학문적으로 뛰어나다고 해서 반드시 교수가 되는 것도 아니고, 그 반대의 경우 역시 마찬가지로 성립한다는 것이다. 교수 자리를 놓고 경쟁을 벌이는 연구자들의 학문적 능력의 차이는 (물론 그렇지 않은 경우도 있겠지만 최소한 최종 심사까지 올라간 몇 사람의 경우에는) 사실상 그렇게 크지 않다고 볼 수 있다. 문제는 이러한 작은 차이가 현실적으로 전혀 다른 결과를 낳게 된다는 데 있다. 한 마디로 교수와 강사는 여러 가지 면에서, 특히 경제적인 면에서 약간 과장해서 말하자면 하늘과 땅 만큼이나 큰 차이를 보이게 된다. 우리가 잘 쓰는 표현으로 '호리천리(毫厘千里)'라 부르는 이러한 현상을 경제학에서는 "초기의 조건의 차이가 전혀 다른 궤적을 만들어내는", "갈래치기 모델(bifurcation model)"이라 부른다. 결국 한 사람의 중문학 연구자가 대학에 자리를 잡고 안정적인 연구를 수행할 수 있느냐의 여부를 판가름하는 것이 단지 태어난 시기의 빠르고 늦음에 달려 있다면, 중국문학사에 점철되어 있는 '재주를 품고도 때를 만나지 못한 것'을 의미하는 '회재불우(懷才不遇)'라는 하나의 테제는 더 이상 과거의 흘러간 노래일 수 없는 것이다. 흥미로운 것은 이러한 현상이 중문학 분야에서만 일어난 게 아니라는 사실이다.

> 70년대에 대학을 다닌 학번 중 많은 사람들이 전두환 시절에 대학생 정원을 대폭 늘리면서 운 좋게 대학원만 졸업을 하고도 대학교수가 된 적이 있었다. 그들은 교수가 된 상태에서 야간대학원을 다니며 박사학위를 받았다. 80년대에 대학을 다녔던 많은 사람들은 이 모습을 보면서 박사과정에 진학하거나 유학 붐을 만들며 교수의 꿈을 키웠다. 그러나 문은 잠깐 동안만 열렸고, 석사학위만 가지고도 교수가 될 수 있는 시절은 다시 돌아오지 않았다. 상대적으로 박사를 수용할 수 있는 대학

교수직이나 연구직의 숫자는 제한되어 있기 때문에 다음 세대의 박사들 특히 인문학이나 특수전공을 가진 사람들은 후에 개인적으로 아주 어려운 삶을 살게 되었다. 이 사람들에게 발생한 운명을 우리나라에서는 '고학력 실업'이라고 부른다. 비슷한 일이 유럽에서도 벌어진 적이 있었는데, 그들은 이걸 '과잉 교육(over-educated)'이라고 불렀다.[4)]

한 사람의 제대로 된 학자를 키우기 위해서는 오랜 시간과 많은 비용이 들게 마련이라는 사실을 고려한다면, '고학력 실업'은 개인적인 차원에서 뿐 아니라, 국가적인 차원에서도 크나큰 낭비이자 손실이라 할 수 있다. 하지만 내가 주목하는 것은 오히려 이런 '고학력 실업'보다는 '구조 조정' 없는 중문학계의 현실이다. 곧 능력 있는 한 사람의 학자가 대학에 자리를 잡지 못하고 있는 것보다 더 큰 문제는 학문적으로 무능하고 학자로서의 최소한의 노력도 하지 않는 '교수 부적격자'가 중문학계에 많다는 것이다. 아울러 나름대로 학자로서의 자질과 소양을 갖춘 연구자의 경우에도, 워낙 젊은 나이에[5)]교수가 되다보니 쉽사리 자신의 위치에 안주해버리는 일도 비일비재하게 벌어졌던 게 사실이다. 아이러니컬한 것은 안정된 연구를 위해 대학에 자리를 잡기를 원하는 이들도 일단 교수 자리에 앉으면 오히려 지속적으로 학문 연구를 진행할 동력을 잃어버리게 된다는 점이다. 이것은 한편으로 안정된 생활이 학문에 대한 성취욕과 동기 부여를 가로막기 때문이라고 설명할 수도 있지만, 다른 한편으로는 당

4) 우석훈·박권일, 『88만원 세대』, 서울: 레디앙, 2007. 182쪽.

5) 대학에 자리잡는 일이 하늘의 별 따기만큼 어려워진 요즘에는 상상하기 어려운 일이지만, 1990년대 중반까지만 해도 20대의 젊은 나이에 교수가 되는 게 그리 낯설거나 드문 일이 아니었다.

사자의 학문을 담는 그릇이 그 정도밖에 되지 않기 때문이라고도 볼 수 있다.

혹자는 일반적인 의미에서의 학문을 교수가 되기 위한 방편으로서의 학문과 공부 그 자체가 좋아서 하는 자족적인 학문으로 나누어 설명하기도 한다. 이러한 이분법은 지나치게 세속의 이해에 얽매이지 말고 열심히 공부를 하라는 의도에서 나온 것이라 할 수 있다. 하지만 하루 하루의 호구를 해결하기 힘든 '고학력 실업자'의 입장에서 보면, 이것은 한가하기 그지없는 비현실적인 구두선에 불과한 것으로 보일 수 있고, 나아가 진정한 학문이라고 하는 것이 누가 알아주기를 바라거나 호구를 해결하기 위한 수단이 아니라는 점에서 애당초 잘못된 이분법이고 그런 의미에서 하나의 허위의식이라 할 수 있다. 백 번을 양보해 그런 이분법이 가능하다 하더라도 정답은 학문 자체가 좋아 공부를 열심히 하다 보니 어느 날 교수가 되어 있더라는 게 될 것이다.

그러나 흔히 말하는 '실용주의'가 대세를 이루는 작금의 세태는 이제 막 공부에 발을 들여놓았거나 혹은 젊은 연구자들로 하여금 '방편으로서의 학문'으로 쏠리게 하여, 교수가 되는 첩경으로 여겨지는 특정 분야에 전공이 몰리거나, 이미 박사 학위를 받은 연구자가 취직이 잘 되는 다른 전공 분야의 학위를 따기 위해 유학을 준비하는 일까지 벌어지게 되었다. 하지만 다른 한편에서 보자면, 누구나 편안하게 잘 살고 싶은 것이 인간의 본래적인 욕망일진대, 비교적 안정된 수입이 보장되고 나름대로 존경받는 직업인 교수가 되기를 희망하는 것은 그 자체로 문제가 된다고 볼 수 없을 것이다. 누가 그들에게 돌을 던질 것인가?

문제는 오히려 다른 데 있다. 앞서도 말했듯이 1970년대와 1980년대에 대학을 다녔던 현재 중문학계의 중진이라 할 수 있는 연구자들의 경우 시대를 잘 타고나 누구보다 쉽게 교수가 될 수 있었는데, 그들이 받았던 혜택은 단순히 취직을 빨리 했다는 데에 그치지 않는다. 그 이전에는 워낙 학문 연구자의 숫자가 적었던 탓에 중문학계는 학계의 원로라 할 수 있는 세대의 계층이 엷어 현재 4,50대에 해당하는 연구자들은 상대적으로 윗사람의 눈치를 보지 않고 마음껏 자기 목소리를 낼 수 있었고, 여기에 상대적으로 빨리 취직이 되었으니 사실상 거칠 것이 없었던 셈이다. 이렇듯 대학에 자리를 잡을 때까지 학계나 여타의 기관에서 검증을 거치지도 않은 상태에서 이들을 견제하고 가르칠 학문적 선배 세대마저 부재하거나 부실했기에, 70년대와 80년대 학번 출신 교수들은 학계의 중진이라는 명목에 비해 실질이 부실한 경우가 많이 생기게 되었다.

사람이 등이 따뜻해지고 배가 부르면 흔히 '사회 의식의 부재'와 '정치적 무의식'에 빠지기 쉬운데, 이것은 흔히 말하는 '함포고복(含哺鼓腹)'을 구가했던 요순시대의 그것과는 차원을 달리하는 게으름과 나태의 다른 표현일 따름이다. 이러한 '사회 의식의 부재'와 '정치적 무의식'은 학문적 시야를 좁게 만들어 이른바 자기 전공에만 몰두하는 '학식 있는 무식꾼'을 양산하게 만들었으니, 결과적으로 우리의 중문학 연구는 '원전 중심주의'와 '문헌학적 연구'를 벗어나지 못하게 되었다. 여기에 사회 전체에 만연해 있는 신자유주의가 강제한 '성과주의'와 '실용주의'에 대한 맹종은 무비판적인 현실 인식으로 귀결되어, 우리의 중문학 연구는 새로운 시야를 확보하거나 우리 나름의 방법론을 개발하는 일을 게을리 하게 되었다. 나아가 근대 이후 질곡의 역사를 거치며 단절된 학문의 전통으로 인해 외부의 힘을 빌려 우리 학문의 기초를 세울 수밖에 없었던 현실은 우리 것에 대한 천시를 낳게 되었고, 이러한 자기 비하 심리는 학문 연구의 주체적 관점의 부재로 귀결되었다.[6]

한 가지 특징적인 것은 학문 연구의 중심지 역할을 하고 있는 우리나라의 중문학 관련 '학회'에 이상에서 언급한 여러 문제점들이 착종되어 나타나고 있다는 점이다. 우리나라 중문학 관련 학회를 논의할 때 가장 눈에 띄는 특징 가운데 하나는 연구자 규모에 비해 과도하다고 할 정도로 난립해 있는 학회 숫자다. 우리나라 중문학 관련 학회는 크게 중문학계를 대표하는 '한국중국학회(韓國中國學會)'와 '한국중어중문학회(韓國中語中文學會)' 이외에 '학연'[7]과 '지역'[8]을 중심으로

6) 이상의 논점에 대한 좀 더 상세한 논의는 조관희, 「한국에+중국소설논총』 제17집, 서울: 한국중국소설학회, 2003.3.)를 참고할 것.

7) 현재 모든 학회들은 특정 학교의 학연을 중심으로 활동하는 인상을 지우기 위해 겉으로는 전국적인 규모의 특정 장르에 얽매이지 않은 학회를 표방하고 있다. 물론 이런 노력들이 상당 부분 관철되고 실현되어 예전에 비하면 그런 폐쇄성은 어느 정도 사라진 게 사실이다. 하지만 그 안을 들여다보면 그런 학연의 흔적이 여전히 짙게 남아 있다. 참고로 여기에 속하는 학회로는 다음과 같은 것들이 있다. 영남중국어문학회(嶺南中國語文學會), 중국문화연구학회(中國文化研究學會), 중국어문논역학회(中國語文論譯學會), 중국어문연구회(中國語文研究會), 중국어문학연구회(中國語文學研究會), 중국어문학회(中國語文學會), 중국학연구회(中國學研究會), 한국중국어문학회(韓國中國語文學會), 한국중문학회(韓國中文學會). 이 가운데 영남중국어문학회(嶺南中國語文學會)의 경우는 영남대라는 학연에서 출발했지만, 좀 더 넓게는 영남 지역을 대표하며, 초기의 성가에 힘입어 그 외연과 영향을 전국적으로 확대한 특이한 성격을 띠고 있다. 하지만 최근에는 학회 초기 중심적 역할을 했던 모 교수의 정년퇴임 등과 맞물린 몇 가지 요인 때문에 활동이 예전만 못 하다는 인상을 주고 있다.

8) 대표적인 것으로 호남 지역을 대표하는 '중국인문학회(中國人文學會)'와 부산 경남을 대표하는 '대한중국학회(大韓中國學會)', 그리고 경북 지역을 대표한다고 볼 수도 있는 '영남중국어문학회(嶺南中國語文學會)'와 충청 지역을 대표하는 '한국중국문화학회(韓國中國文化學會)'가 있다.

한 것과 '전공'[9]을 중심으로 활동하는 것 이렇게 세 부류로 나눌 수 있다. 이렇게 학회가 많은 것에 대해 여러 가지 설왕설래가 있으나 우리가 살아가면서 겪는 여타의 문제들과 마찬가지로 여기에도 장단점이 있다. 단점은 너무 많은 학회가 난립하다 보니 불필요하게 중복되는 부분이 없지 않다는 것과 전체 연구자 숫자에 비해 학회가 많다 보니 내부적으로 검증이 안 된다는 것, 그리고 폐쇄적으로 운영되다 보니 정실이 개입될 여지가 크다는 것을 들 수 있다. 하지만 하나의 구심점이 없다는 것은 어떤 의미에서 장점이 될 수도 있으니, 학회가 하나의 권력 기관이 되어 자유로운 학문 연구 풍토 조성에 방해가 되는 등의 부작용을 막을 수 있다는 점에서는 긍정적인 측면이 전혀 없다고 볼 수 없다.

문제는 학회의 숫자가 많다는 데 있지 않고, 고만고만한 학회들이 난립해 있다 보니, 학회의 규모가 모두 영세해 기본적인 인프라가 구축되어 있지 못한 데 있다. 학회의 역량을 한데 모으지 못하니 모든 학회가 재정적인 면에서 구멍가게 수준을 면하지 못해 학회 사무실이나 상근 직원을 두고 있는 학회가 전무한 실정이고, 운영 또한 엉망이라 회의록 등과 같은 기본적인 기록을 갈무리하고 학회 기관지라 할 논문집의 파일 등을 보관하고 있는 학회 역시 전무하거나 손에 꼽을 정도다. 항용 기록 문화는 그 나라의 문화 수준을 보여주는 바로미터라고 하거니와, 기록 문화가 정착되어 있지 않은 우리나라의 학회는 외형에 비해 부실하기 짝이 없는 그 실질을 적나라하게

9) 한때 특정 장르를 중심으로 활동하는 학회는 여럿이 있었으나, 현재는 희곡과 산문학회는 활동을 접은 상태이고, '한국중국문학이론학회(韓國中國文學理論學會)'와 '한국중국소설학회(韓國中國小說學會)', '한국중국언어학회(韓國中國言語學會)', '한국중국현대문학학회(韓國中國現代文學學會)' 정도만이 명맥을 잇고 있는 실정이다.

드러내 보여주고 있다.

또 하나 짚고 넘어가야 할 점은 일종의 '준거Reference' 역할을 해야 할 학회가 그런 기능을 제대로 하고 있는가 하는 데 대해 의문이 든다는 것이다. 학회는 연구자들이 자신의 연구 결과를 발표하고 이에 대한 비판을 통해 시너지 효과를 거두게 하는 동시에, 일종의 학문적 경향성과 비전을 제시하는 마당으로서 기능해야 한다. 그러나 우리의 학회가 그런 기능을 제대로 하고 있는가 하는 점에 대해서는 자못 회의적인 느낌이 드는 게 사실이다. 이것은 어느 학회라 할 것 없이 학문상의 논쟁과 쟁점이 두드러지게 부각되지 않는 것으로도 입증이 되는데, 이렇다 할 쟁점 없이 그저 그런 논문만 양산하는 학회는 단순히 개인의 업적을 홍보하고 실적을 쌓는 이상의 의미를 갖기 힘들 것이다. 하지만 어떻게 보면 학회가 안고 있는 이런 문제들은 사실상 그 구성원이라 할 학문 연구자들이 안고 있는 태생적인 한계와 밀접한 연관을 맺고 있다고 할 수 있다.

3. 중문학 연구의 주체성 확립

이상에서 논의한 문제 말고라도 우리나라 중문학 연구가 안고 있는 가장 큰 문제는 오히려 '주체의식의 부재'에 있다고 할 수 있다. 역사적으로 우리는 꽤 오랫동안 중국과의 교류를 통해 학문을 일으키고 발전시켜 왔던 터라, 우리의 의식 속에는 우리 자신을 중국의 일부로 여기는 일종의 '소중화주의'가 자리잡고 있으면서 주인 노릇을 해왔다. 이러한 사대 의식의 뿌리는 그 연원이 오래되었는데, 조선의 많은 학자들의 말에서 그 흔적을 엿볼 수 있다. 이를테면, 조선 세종 25년(1442년) 세종 임금이 훈민정음을 창제할 당시 이를 반대하던 부제학 최만리는 그 부당성의 근거를 들어 다음과 같이 주장했다.

> 첫째, 중국과 동문동궤(同文同軌)를 이룬 이 마당에 새로운 언문을 만듦이 사대 모화에 부끄럽다. 둘째, 우리말이 중국의 방언으로 인정되는데, 방언으로 하여 따로이 글자를 만든 전례가 없다. 몽골, 서하, 일본, 서장 등이 제 스스로 글자를 가지고 있으나 이들은 오랑캐이니 어찌 오랑캐와 같아지랴. 셋째, 이두는 한자어에 어조사만을 더하는 것으로 한문 보급의 방편이 되기도 하나 새 글자를 만들면 한문이나 성리학을 힘들게 배울 사람이 없어지게 된다. 넷째, 언문으로 글을 쓰면 옥사(獄事)가 공평하게 될 것이라고 하나 형옥의 공평은 옥리(獄吏)에게 달렸다.[10]

최만리의 이러한 생각은 누구라도 자신이 살고 있는 그 당대의 의식 지평을 넘어서기 어렵다는 것을 감안하더라도 지나친 감이 없지 않다. 제 나라 문자를 갖고 말글살이를 하는 민족을 싸잡아 오랑캐라 폄하하면서 그와 같은 오랑캐들이나 갖고 있는 제 나라 문자를 우리가 만들면 그들과 동렬도 떨어질 수 있다는 생각은 우리 자신을 그들 오랑캐와 다른 선진의 중원 문화의 일원으로 여기는 자아도취의 발로라 할 수 있다. 조선시대 최고의 학자로 일컬어지는 이황 역시 이러한 사대 의식에서 자유롭지 않았으니, 일찍이 예조판서로 재임할 때, 일본의 좌무위 장군 미나모토(源義淸)에게 보낸 편지에서

---

10) 김삼웅, 「선비들의 사대 곡필과 주체적 글 쓰기」, 『인물과사상』 2007년 10월호, 서울: 인물과사상사, 2007.10. 209쪽.

다음과 같이 썼다.

> 하늘에 두 개의 해가 없고, 인류에 두 임금이 없다. 춘추전국이 통일된 것은 천지의 법칙이고, 고금에 변치 않는 대의인 것이다. 큰 명나라는 천하의 종주국이므로 해 돋는 동방에 처한 우리나라가 어찌 감히 신복(臣服)하지 않겠는가?[11]

하지만 실상은 어떠한가? 과연 중국 사람들은 우리를 여타의 오랑캐 민족과 구별하고 자신들과 같은 화하 문화의 일원으로 받아들였을까? 혹시 떡 줄 놈은 생각도 안하고 있는데, 우리가 지레 김칫국부터 마셨던 것은 아니었을까?

그와 같은 중원 문화에 대한 짝사랑과 중국에 대한 동일시 현상은 당시 우리 문화 전반에 걸쳐 두루 나타난다. 이를테면, 조선시대 한문소설 가운데 많은 작품들이 중국을 배경으로 하고 있고, 등장인물 역시 중국인들이라 가끔 새롭게 발견되는 소설의 경우, 이 작품이 중국에서 나온 것인지 그렇지 않으면 우리나라에서 나온 소설인지 헷갈리는 일조차 있다.[12] 그래서일까? 우리는 당나라 때 시인 리바이(李白)를 이태백으로, 송대의 문인 쑤스(蘇軾)를 소동파로 부르면서

---

11) 김삼웅, 앞의 글, 210쪽.

12) 박재연은 『중국통속소설총목제요(中國通俗小說總目提要)』(江蘇省社會科學院 明淸小說硏究中心 編, 中國文聯出版社, 1991)에 실려 있는 『홍백화전(紅白花傳)』(10回, 『중국소설연구회보』 제5호, 1991.3에 전재)이라는 소설이 중국소설이 아니라 국내 창작소설이라는 사실을 밝힌 바 있다.(박재연, 「『홍백화전』은 중국소설이 아니다」, 『중국소설연구회보』 제9호, 한국중국소설학회, 1992년 3월.). 이와 같은 일은 새로운 소설이 발굴될 때마다 지속적으로 일어난다. 이 모두가 해당 소설의 언어가 한문으로 되어 있는 데다, 배경이나 등장인물이 중국으로 되어 있기 때문에 일어난 해프닝이라 할 수 있다.

유달리 친근감을 표하고 있다. 이런 식으로 중국의 문화유산을 마치 우리 것인 양 떠받들고 동일시하는 심리로 인해, 근대 이전에는 우리나라를 굳이 중국과 구분하려는 생각도 없었고, 그렇게 하고자 시도했던 일은 더더욱 없었다. 그렇기에 사실상 외국문학의 한 분야로서 '중국문학'이라는 명칭 자체가 근대 이후의 산물이 될 수밖에 없었다. 중국문학을 굳이 구분해 부르지 않았던 것은 그만큼 우리의 사고가 중화주의에 물들어 있었기 때문이라 할 수 있다. 아직도 우리 주위에는 이런 사고방식에 젖어 중국의 문화유산은 이미 우리의 그것에 동화되었으니, 굳이 밀어내고 배척할 대상으로 여길 것이 아니라 오히려 자랑스러운 우리 문화유산으로 더욱 발양광대하여 발전시켜 나갈 것을 주장하는 이들을 보게 된다.

하지만 중국의 근대를 아편전쟁의 처참한 패배 이후 즉자적인 중화주의를 벗어나 세계에 대한 대자적 인식으로 전환한 것으로 규정하는 주장이 있듯이, 중국에 대한 우리의 인식 역시 이러한 즉자성을 벗어나 중국을 하나의 대상으로 바라보는 인식론적 전환이 필요한 것은 아닌가 하는 생각이 들게 된다. 곧 중국을 나와 마주하고 있는 대상으로 여기지 않는 한, 나의 주체성은 존재할 기반을 잃게 되고 영원히 중화주의의 긴고주(緊箍呪)를 벗어날 길이 없는 것이다. 그런 까닭에 우리 중문학 연구의 주체성을 회복하는 일은 중국을 타자화하여, 하나의 대상으로 바라보는 것에서 찾아야 할 지도 모른다. 나아가 그런 일은 중국문학을 철저하게 외국문학의 하나로 여기고 그에 걸맞게 대접하는 일에서 시작해야 한다.

나는 그와 같은 일을 '이름을 바로잡는 것(正名)'에서 시작해야 한다고 생각한다. 하이데거는 1927년에 발표한 『존재와 시간』에서 "우리가 어떤 것을 이해한다는 것은 그것이 무엇인가를 알아내는 것이 아니고, 그것에 의해 드러나는 자신의 '존재 가능성'을 알아내는 것이라고 했다."[13] 곧 "우리는 대상을 그 자체로 이해하는 것이 아니라 그것으로 인해 드러나는 자신의 가능성을 통해 이해한다는 것"[14]이다. 우리를 둘러싼 세계는 그저 단순히 존재하는 것이 아니라 우리가 각각의 존재자들에게 그 쓸모에 따라 의미를 지시해주는 바탕이자, 우리가 구성한 의미의 그물망일 따름이다. 하이데거는 여기에서 한 걸음 더 나아가 우리의 이해를 '본래적 이해'와 '비본래적 이해'로 구분했는데, '본래적'이란 "인간이 자기에게 주어진 존재 가능성을 스스로 선택하고 결정하여 그것을 향해 자기를 내던지는 것'을 뜻하고, '비본래적'이란 "자신의 존재 가능성을 자기 자신에게서 찾지 않고 세상 사람들에게서 찾는 것'을 말한다.[15] 하이데거는 사람이 본래적으로 사는 것을 '실존'이라고 했거니와, 비본래적으로 사는 것은 '퇴락'으로 규정했다. 실존은 진정한 자기로 사는 것이고, 퇴락은 진정한 삶을 회피하는 것이다. 그러므로 '이름을 바로잡는다는 것(正名)'은 그저 단순히 시니피앙와 시니피에의 결합을 바로잡는 것 이상

13) 김용규, 「'돈키호테'를 통해서 본 '세계'의 의미(2)」, 『한겨레』, 2008년 2월 2일. "현존재는 어떤 것을 할 수 있는 능력을 추가로 소유하고 있는 어떤 눈앞의 것이 아니라 오히려 그는 일차적으로 가능존재이다. 현존재는 그때마다 각기 현존재가 그것으로 존재할 수 있는 바로 그것이며, 그가 그의 가능성으로서 존재하고 있는 그 방식이다." (하이데거, 『존재와 시간』, 까치, 1998, 199쪽)

14) "예를 들어보자. 자연은 관광 가능성을 통해 우리에게 관광지로 이해된다. 해변은 해수욕 가능성을 통해 해수욕장으로 이해되고,……이렇게 우리는 대상을 그 자체로 이해하는 것이 아니라 그것으로 인해 드러나는 자신의 가능성을 통해 이해한다. 그래서 하이데거는 이해란 우리가 대상에게 그 쓸모에 따라 의미를 부여하는 '의미화' 작업이라고 했다. 그리고 우리의 이런 의미화 작업에 의해 '세계'가 태어난다." (김용규, 앞의 글)

15) 김용규, 앞의 글.

의 의미가 있으며, 그것은 바로 "실존을 향한 '의미 있는' 첫걸음"[16]인 것이다.

이것과 연관해 나는 두 가지 차원에서 문제 제기를 하고자 한다. 그것은 첫째, 중국 사람의 인명은 그들이 부르는 대로 읽어줘야 한다는 것이고 둘째, 마찬가지 논리로 우리나라 사람의 이름은 우리 발음대로 불러야 한다는 것이다. 앞서 말했듯이 이름을 붙이는 행위는 자신의 주체를 세우는 일과 직결된다. 그러므로 중국인 '공자'는 더 이상 공자가 아니라 '쿵쯔'가 되어야 하고, '주자' 역시 '주시(朱熹)'가 되어야 하며, 궁극적으로 근대 이전의 인물은 관습상 우리 한자음으로 읽고 근대 이후의 인물은 현지 발음으로 읽는다는 식의 어정쩡한 태도를 버려야 한다. 반대로 우리의 정체성 역시 되찾아야 한다. 왜 단순히 한자로 표기할 수 있다는 이유만으로 '조관희'가 '자오콴시(趙寬熙)'가 되어야 하나? 고유명사라는 것은 말 그대로 둘이 아닌 오직 하나뿐인 고유한 존재에 붙이는 이름일진대, '조관희'는 세계 어디에 가더라도 '조관희'일 따름일 뿐, 그 어떤 별도의 독법도 존재하지 않는다. 하지만 유독 중국인들만이 나의 이름을 '자오콴시'라 부르고 있다. 다시 한번 이야기하지만, 더 이상 '서울'이 '한청(漢城)'이 아닌 '서우얼(首爾)'이듯, 나의 이름도 '자오콴시'가 아닌 '조관희'일 따름이다.

이런 식으로 중국과 우리를 구분하지 않는 사대주의적인 태도는 단순히 사람들 이름을 어떻게 부를 것이냐 하는 데 그치지 않고 우리 것은 천시하고 외래의 것은 숭배하는 잘못된 인식을 낳았다. 이

16) 김용규, 앞의 글.

렇게 우리 것을 천시하는 태도 가운데 하나로 논문을 쓰거나 저술을 할 때, 국내에서 이루어진 연구 성과는 돌아보지 않고 중국이나 타이완에서 나온 자료로만 참고문헌을 도배하는 것을 들 수 있다.[17] 나는 이전에 한 논문에서 이 점에 대해 우리 중문학계가 주체적인 관점이 부재하게 된 원인 가운데 하나로 처절한 '자기 반성'의 부재를 든 적이 있다. 곧 "그러한 자기 반성의 계기도 없었고, 그에 대한 인식마저도 박약했기에 우리의 학문이 이렇듯 자기만족적인 자폐의 늪에서 헤어나지 못"했고, 이러한 자기 만족이 나아가 자기 비하의 심리로 발전했기에 무슨 주체성을 운위할 만한 처지에 놓이지 못했다는 것이다.[18]

이러한 자기 비하의 발로일까? 우리나라 중문학 연구자들은 우리말로 논문 쓰는 것을 소홀히 여기고, 그 결과 이에 대해 무지한 지경

---

17) 이런 사례는 헤아릴 수 없이 많다. 손에 잡히는 대로 확인을 해 보라. 이를테면 당대(唐代)의 전기(傳奇)에 대한 논문을 쓴다면 우선 이 분야에 대한 고전적인 논저를 보고 난 뒤에는 반드시 국내에서는 어떤 이가 무슨 글을 썼는가 하는 것을 살펴보는 게 정도일 것이나 많은 경우 그렇게 하지 않고 있다. 자세한 것은 조관희의 「한국에서의 중국소설 연구(1)서경호(徐敬浩)의 소설론을 중심으로」(『중국소설논총』 제15집, 서울: 한국중국소설학회, 2002.2.) 각주 3)을 볼 것. 참고로 각주 3)의 내용 가운데 이 점과 연관해 매우 의미 있는 시사점을 던져주는 이장우 교수의 언급을 다음과 같이 인용한다. "얼마 전에 서울의 어떤 대학교에서 제법 규모가 큰 학회가 있어, 모처럼 참석하고 이틀 동안이나 여러 사람들이 발표하는 것을, 처음부터 끝까지 다 들어보았다. 그런데 그 발표하는 내용의 적어도 상당한 부분은 이미 한국에서도 누구인가 벌써 약간씩이라도 언급한 적이 있는 내용들이었는데, 전혀 그러한 것이 있었는지 없었는지 조금도 개의하지 않고, 오로지 모든 이야기를 한국에서는 자기가 처음 시작하는 것 같이 득의 양양하게 발표하고 있었다. 이러한 현상은 구두발표뿐만 아니라 학술논문이나 저서에서도 비슷하게 나타나고 있다. 도대체 그런 사람들은 『국내중국어문학연구론저목록(國內中國語文學研究論著目錄)』(서경호 편저, 정일출판사, 1991) 같은 것도 한번 찾아보지 않았던 것 같이 보였다."(조성환, 『한국의 중국어문학연구가 사전』, 서울: 도서출판 시놀로지, 2000. 4쪽)

18) 조관희(2002), 326쪽.

에까지 이르게 되었다. 우리는 영어나 중국어로 글을 쓸 때는 여러 가지를 따지고 조심하면서, 우리말로 글을 쓸 때는 되나 캐나 어법에 맞지도 않는 문장으로 논리에 맞지도 않는 내용을 중언부언 늘어놓곤 한다. 더 큰 문제는 나의 과문 탓인지는 모르겠으나, 이런 현실을 지적하고 통탄해 하는 사람을 거의 본 적이 없다는 데 있다. 우리 모두 이런 현실을 별로 심각하게 생각하지 않는 것이다. 한국 사람은 의례 한글로 글을 쓰는 데 아무런 문제가 없다고 생각하는 것일까? 하지만 글을 써본 사람이라면 한글로 글을 쓰건 중국어로 글을 쓰건 글을 쓴다는 것은 그리 만만한 일이 아니라는 것을 쉽게 알 수 있다. 아울러 우리말로 글을 쓴다는 것이 단순히 우리말 어법에 맞게 정연한 논리를 갖추어 문장을 짓는 데 그치는 것일까?

> 말할 것도 없이 인문학(人文學)은 문학(文學)을 그 바탕으로 한다. 그리고 문학은 일종의 문자학일 수밖에 없으며 따라서 인문학 역시 그 문자학적 기반 위에서야 그 본령의 의미와 가치를 꽃피운다. 한글로 인문학 공부를 하는 이들이 한글을 익히고 쓰는 일은 모스 부호나 에스페란토, 혹은 고대 중동의 어느 사어(死語)를 채집하고 배우는 일과는 근본적으로 다르다.[19)]

영국의 수상 윈스턴 처칠은 젊은 시절 외국어 공부보다 자신의 모어인 영어를 더 열심히 공부했다고 한다. 이런 처칠의 자신감을 한때 전 세계를 지배하다시피 했던 제국주의 국가의 국민으로서 굳이 외국어를 공부하지 않아도 됐기에 가능했던 일이라고만 치부할 수

19) 김영민, 「인간 내면에 삼투한 말을 배워라」, 『한겨레』 2007년 8월 25일.

있을까? 약소국인 우리는 외국어를 배우지 않으면 살아남을 수 없다고 강변할 것인가? 사실 이 문제도 어찌 보면 잘못된 이분법이다. 외국의 선진 문물을 받아들이기 위해 영어를 비롯한 외국어 공부를 열심히 해야 한다는 것이 반대로 우리말로 글쓰는 것을 소홀히 해도 좋다는 것을 의미하지는 않기 때문이다.

주위에서 중국어로만 논문을 쓰는 사람을 본 일이 있다. 우리말글 쓰기를 전혀 하지 않고 중국어로만 논문을 쓰고 발표하는 사람은 우리 학문의 세계화를 위해 그리한 것일까? 혹시 우리말 글 쓰기에 자신이 없어서 그런 것은 아닐까? 그런데 언어학자들의 말을 빌면 사실 모어와 외국어 실력은 전혀 별개의 것이 아니라 서로 밀접한 연관이 있다고 한다. 곧 우리말을 잘 하는 사람이 외국어도 잘 한다는 것이다. 그래서일까? 중국의 학자들 말을 들어보면, 우리나라 사람이 중국어로 쓴 글들은 별로 볼 게 없는데, 오히려 우리말로 씌어진 논문 가운데 보고 싶은 게 있지만 한글을 몰라 아쉽게 생각한다는 이들이 간혹 있다. 물론 우리 학문을 대외적으로 알리고 교류하는 차원에서 중국어로 또는 영어로 글을 쓰는 것을 굳이 문제삼을 일은 아니지만, 어차피 이 땅에서 우리 식의 중국 문학을 해야 한다면 아름다운 우리말 글 쓰기를 힘써 갈고 닦는 일을 게을리 해서는 안 될 것이다.

한 가지 짚고 넘어갈 것은 이상에서 논의한 우리나라 중문학 연구의 주체성 확립이 공허한 거대담론의 제기로 끝나서는 안 된다는 것이다. 모든 일이 그러하듯이 문제 제기가 선언적인 차원에서 끝나버리게 되면 그 의의가 반감되게 마련이다. 곧 오히려 작고 사소해 보이지만 당장 실천에 옮겨야 할, 또는 실행할 수 있는 구체적인 현안을 제시하고 이것을 현실화할 수 있는 방안을 모색하는 일이 좀 더 중요하다는 것이다. 이에 여기에서 주체적인 중문학 연구를 위한 실천 방안으로 몇 가지 제안을 하고자 한다.

첫째, 학계 차원에서 중국어의 우리말 표기법 방안을 마련해야 할 것이다. 현재 사회적으로 통용되고 있는 것은 국립국어원(http://www.korean.go.kr/06_new/rule/rule05.jsp)에서 찾아 볼 수 있는 정부안이 있으나, 현실적으로는 많은 이들이 이에 대해 불만을 갖고 있는 게 사실이다. 그리하여 관심 있는 연구자들이 몇 편의 논문을 발표해 제 나름대로의 대안을 제시한 적이 있지만,[20] 정작 이들이 서로 머리를 맞대고 학계 통일안을 만들어내려는 노력은 시도된 적이 없다. 그럼에도 어떤 식으로든 학계의 통일 방안이 제시되어야 할 것이다.

둘째, 우리의 현실에 맞는 중국어 검정시험을 개발해야 한다. 현

---

20) 김용옥, 최영애, 「최영애 김용옥 표기법 제정에 즈음하여」, 『동양학 어떻게 할 것인가』, 서울: 민음사, 1985.
엄익상, 「중국어 한글 표기법의 문제점과 개선 방안」, 『중국언어연구』 제4집, 1996.
심소희, 「한글-중국어 병음 체계의 연구」, 『한글』 245호, 1999.
전광진, 「중국어 자음의 한글 표기법에 대한 음성학적 대비 분석」, 『중국문학연구』 19집, 1999.
김영만, 「현대 중국어의 한글 표기: 현황과 개선 방안」, 『제34회 어학연구회 논문요지』, 서울대 어학연구소, 2000
김태성, 「중국어 한글 표기법에 관하여」, 『중어중문학』 27집, 2000.
맹주억, 「중국어 교육용 한글 표음 방안」, 『디지털 세대를 위한 중국어 교육』(한국중국언어학회, 한국중등중국어교육연구회, 한국중국어교육학회 연합 학술발표회 논문집), 2000.
임동석, 「중국어(漢語) 한글 표기의 실제와 문제점 연구」, 『중국어문학논집』 13호, 2000.
원종민, 「대만 민남어의 한글 표음방안」, 『중국언어연구』 13집, 2001.
배재석, 「Cyber 상의 중국어 표기법 연구」, 『중국어문학논집』 19호, 2002
엄익상, 「중국어 한글 표기법 재수정안」, 『중어중문학』 31집, 2002.
장호득, 「중국어 한글 표기법의 원칙과 한계」, 『중국어문논역총간』 11집, 2003
엄익상, 「왜 다시 중국어 한글 표기법인가?」, 한국중국언어학회 학술발표회, 2003

재 가장 공인되고 있는 것은 흔히 'HSK'라 불리는 '한어수평고시'인데, 이밖에도 'BCT'를 비롯해 몇 개의 검정시험이 있지만,[21] 모두 중국에서 개발한 것이라 우리의 실정에 맞지 않는 부분이 있어 역시 아쉬움이 있다.

셋째, 역시 우리의 언어 환경을 고려한 중국어 교학 방법과 교재를 개발해야 한다. 1990년대 이전에 비하면 현재 우리나라의 중국어 교육 환경은 많이 좋아진 것이 사실이다. 하지만 서점에 한우충동(汗牛充棟)이라 할 정도로 많이 나와 있는 중국어 교재들을 보면 거의 대부분 중국에서 만든 교재를 번역한 것이거나, 이것저것 되는 대로 짜깁기한 것이 많아 우리의 교육 현실을 제대로 반영하지 못하고 있다고 할 수 있다. 제대로 된 중국어 교육이 이루어지기 위해서는 우리의 현실에 맞는 교학 방법과 교재의 개발이 시급하게 이루어져야 할 것이다.[22]

물론 이런 문제가 해결된다고 해서 당장 우리의 중문학 연구가 주체성을 회복하고 세계 무대에서 당당하게 제 자리를 찾을 수 있는 것은 아닐 것이다. 어쩌면 앞서 제시한 몇 가지 제안은 우리의 중문학 연구가 제자리를 찾아가는 데 필요한 최소한의 요구 사항에 지나

---

21) 최근에는 타이완에서도 HSK를 의식하여 '華語文能力測驗(Test of Proficiency-Huayu)'이라는 별도의 프로그램을 개발하여 적극 홍보하고 있다.

22) 이 점은 중국이나 타이완에서 중국어 교학을 전공하는 학자들도 똑같이 지적하고 있는 사실이다. 재미있는 것은 현재 세계의 중국어 교육 시장에서 큰 비중을 차지하고 있는 한국에 대한 중국 측 학자들의 태도이다. 그들 역시 한국이 어쩌면 세계 최대의 중국어 교육 시장일 지도 모른다는 사실을 인정하면서도 교재 개발 등은 주로 서구의 독자들을 염두에 두고 진행하고 있다. 한국은 어학연수 등의 명목으로 매년 어마어마한 국부를 유출시켜 중국 측에 쏟아 붓고 있지만, 그에 걸맞은 대접은 받지 못하고 있는 것이다. 이것은 중국인들이 갖고 있는 중화의식의 발로일까? 그렇지 않으면 또 다른 오리엔탈리즘의 발로인 것일까?

지 않을지도 모르지만, 천리 길도 한 걸음부터라고 했으니 무슨 경천동지할 거대담론이 아니라 이런 사소한 문제부터 차근차근 땅띔을 해나가야 할 것이다.

4. 비판적 성찰과 지식인의 우환의식

언필칭 학문을 한다는 것이 세속의 이해득실과 동떨어진 무색무취하고 투명한 세계에 파묻혀 아무도 관심을 갖지 않는 과제를 스스로 부여하고 자족하는 일일 수도 있겠으나, 다른 한편으로 진정한 학문은 내가 살고 있는 현실에 뿌리를 내리고 내가 다양하게 맺고 있는 사회와의 연관 속에서 의미 있는 무엇을 추구하는 일일 수도 있다. 과연 우리 중문학계는 언어학 연구에 탁월한 업적을 남겼으면서도 끊임없는 사회 참여 발언으로 단순히 한 사람의 언어학자로만 기억되지 않는 '촘스키'같은 인물을 배출할 수 없는 것일까?

'인문학 위기' 선언이 우리 사회를 휩쓸고 지나간지 1년이 되었다. 돌아보면, 그런 선언이 촉발한 위기 의식이 현실 속에서 약발이 먹히고 있다는 조짐을 곳곳에서 감지하게 된다. BK21에 이어 이제 HK(인문한국)가 본격적으로 시작된 것이다. 하지만 일각에서는 이런 식의 처방을 두고 '바보 코리아'에서 '한심한 코리아'로 넘어갔다는 비아냥이 들리는 것도 사실이다. 과연 위기의 원인은 이런 식의 외부 지원에만 있을까? 정부나 민간 차원에서의 지원 부족이 인문학의 위기를 불러왔다는 데 선뜻 동의할 수 없는 것은 위기의 본질이 이런 경제적인 차원에서만 논의될 수 없기 때문이다. 오히려 인문학의 위기는 '역사에 대한 소명 의식'과 '개인의 삶에 대한 성찰'이 부족했던 데 그 원인이 있는 것은 아닐까?

인문학의 위기는 그렇다 치고, 중문학은 위기와 전혀 무관한 것일까? 과연 중문학자들은 '역사에 대한 소명 의식'과 '개인의 삶에 대한 성찰'에 충실한 것일까? 워낙 척박한 토양에서 고군분투했다고 할 선배 연구자들이야 그렇다 쳐도, 이른바 중문학계의 황금세대라 할 수 있는 1970년대 학번과 1980년대 중반 학번까지는 대부분 취직 걱정 없이 순탄하게 대학에 자리를 잡았다. 그래서일까? 이제는 학계의 중견으로 자리잡아가고 있는 그들에게서 어떤 지적 긴장감을 느끼기 어려운 것은 나 혼자만의 편견과 착각일까? 아직 자리를 잡지 못하고 부유하는 후배 세대들에게서는 팍팍한 현실을 살아가는 동안 몸에 밴 성과주의와 보신주의의 냄새가 진하게 감지된다.

혹자는 인문학이란 '시대'보다는 '개인이나 인간'에 좀 더 비중이 가해지는 학문이기에 역사니 뭐니 하는 거대 담론보다는 개인의 삶에 대한 진지한 성찰과 관조에 초점을 맞추어야 한다고 주장하기도 한다. 과연 중국문학사에는 그와 같은 경향성을 보이는 작가들과 유파가 많이 등장한다. 하지만 아는가? 중국문학사에는 그에 못지않게 사회에 대한 관심과 그로 인한 울분을 토로한 '발분저서(發憤著書)'[23]와 지식인의 '우환의식(憂患意識)'[24]을 주제로 글을 썼던 수많은 문인들이 명멸했다는 사실을. 중국의 문인들은 '자아소견(自我消遣)'의

23) 사실 중국문학사는 '회재불우(懷才不遇)'한 문인들의 '발분저서(發憤著書)'를 제외하면 남아 있는 게 별로 없을 정도이다.

24) 장영백은 고대 중국인들의 '우환의식(憂患意識)'에 대해 일련의 글을 발표한 바 있다. 장영백(2004.11), (2004.08), (2004.05), (2004.02), (2003.11), (2003.06) 자세한 제목은 참고문헌을 참고할 것.

경지에서 유유자적하며 '한적(閑寂)'을 추구하기도 했지만, 지식인의 사회 의식과 그에 따른 책임감을 막중하게 생각하기도 했던 것이다. 그에 비하면 우리 중문학계는 사회 현실을 읽어내려는 반성적 사고가 결여되어 새로운 담론을 만들어내려는 노력이 부족했던 것은 아닌가하는 생각을 접을 길 없다. 사회 일각에서 신자유주의 담론에 대한 논쟁이 치열하게 벌어져도, 환경과 생태나 학벌 지상주의에 대한 진지한 논의가 진행되어도 중문학계는 그저 강 건너 불 구경하듯 무심하게 바라보며 앞서 말한 바와 같이 요순(堯舜) 시대의 '함포고복(含哺鼓腹)'의 격양가(擊壤歌)를 부르고 있는 것은 아닌지? 한번 돌이켜 볼 일이다.

아울러 우리 중문학계는 1980년대 이후 양적으로는 폭발적인 증가세를 계속 이어오고 있지만, 과연 질적인 면에서 흔히 말하는 글로벌 스탠다드에 근접한 훌륭한 논문과 저작을 생산해 내고 있는가 하는 점에서는 적잖이 회의적일 수밖에 없다. 나는 이렇게 된 까닭이 대부분의 연구자들의 글 쓰기가 논문을 위한 논문에 머물러 있거나 개인적으로 자족하는 차원에서 이루어진 데 있다고 생각한다. 혹자는 학자의 연구 행위를 '창조'와 '생산'이라는 측면과 단순한 '소비'의 차원으로 구분하기도 했는데,[25] '창조'와 '생산'이야 굳이 설명할 필요가 없겠지만, 여기서 말하는 '소비'란 "자신의 입론 없이 오로지 남의 이론(대개는 다른 나라의 이론이다)을 번역하여 요약하고 소개하며, 여기에 몇 개의 사례들을 덧붙여 그 이론이 옳음을 증명하고 끝나버리는 논문, 자료 조사와 문헌 해제로만 가득 찬 논문"[26]을 쓰는

25) 이영미, 「창의성 없는 지적 생산물과 관용」, 『한겨레』 2007년 1월 16일.
26) 이영미, 앞의 글.

것을 가리킨다. 문제는 이런 식의 글 쓰기가 학계에서는 하나의 관행이 되어 버려 누구도 이것을 문제삼지 않는다는 데 있다.

이렇듯 학자들의 글 쓰기가 창의성을 잃고 단순히 선학들이 물려준 유산을 단순 반복하는 데 머물게 된 가장 주요한 원인은 그들이 사회 현실을 읽어내고 시대의 아픔을 남보다 앞서 감지하는 '독서인(讀書人)'이 아니라 단순히 자신이 습득한 지식을 이용해 대학에 자리 잡고 월급을 타 먹는 '생활인'으로 자기 자신을 자리 매김한 데 있다. 뭐 사람이 한 세상 살아가는 데 가장 중요한 것이 하나의 유기체로서의 생존임을 부인할 수 없을진대, 먹고살기 위한 하나의 생존 전략의 하나로 교수라는 직업을 택했다고 한다면 굳이 그 사실을 부인할 필요까지는 없을 것이다. 다만 한 가지 우스운 것은 오히려 이런 이들이야말로 학문을 운위하고, 스승으로서의 사표(師表)를 운운하는 데 더 앞장을 선다는 사실이다. 하지만 진정한 의미에서 학자를 학자답게, 지식인을 지식인답게 만들어주는 것은 "사회의 정신을 자신과 더불어 재생시키고 부활시키는 자기 비판의 힘"[27]이라 할 수 있다. 결국 남에게는 한없이 관대하지만, 자기 자신에게는 가혹할 정도로 엄격한 비판적 성찰의 기제가 제대로 작동할 때 사회 현실을 제대로 읽어내고 그것을 자신의 학문에 반영해낼 수 있게 될 것이다.

인문학이 위기에 처했다는 뒤숭숭한 풍문을 들으며 다시 한번 중문학계를 돌아본다. 과연 우리나라 중문학계는 위기와 무관하게 잘 돌아가고 있는 것일까? 무슨 위기를 운운하려면 그에 앞서 위기에 빠질 만한 주체가 존재해야 한다. 그렇다면 혹여 우리의 중문학 연

27) 박경미, 「지식인과 염치」, 『녹색평론』 91호, 녹색평론사, 2006년 11월 14일. 108쪽.

구가 위기에 처했다는 등의 논의에서 벗어나 있었던 것은 역설적으로 이제까지 우리에게 주체적인 중문학이 부재했다는 것을 반증하는 것을 아닐까?

『중국어문학론집』 제49호, 서울: 중국어문학연구회. 2008.04.

정보화 시대의 중국학 연구*

존재하는 정보는 전부 현실이고 그리고 환상인 거야.
어느 쪽이 되었든 한 인간이 일생동안 손대는 정보 따윈 사소한 거야.
–『공각기동대』

1. 들어가는 말

나는 아마도 세계 시장에는 다섯 대의 컴퓨터만이 필요할 거라 생각한다.(I think there is a world market for maybe five computers –Thomas Watson, chairman of IBM, 1943)

미래의 컴퓨터는 불과(?) 1.5톤밖에 되지 않을 것이다.(Computers in the future may weigh no more than 1.5 tons–Popular Mechanics, forecasting the relentless march of science, 1949)

누구나 자신의 집에 컴퓨터를 들여 놓게 될 이유는 없다.(There is no reason anyone would want a computer in their home.–Ken Olson, president, chairman and founder of DEC, 1977)

---

* 이 글이 쓰인 것은 2001년이다. 독자들이 이 글을 읽고 있는 현재의 시점에서 보자면 이 글의 내용은 일부 현실과 동떨어진 것이거나 이미 진부한 것이 되어버렸는지도 모른다. 그러나 몇몇 문제 제기는 여전히 그 시의성을 잃지 않고 있다고 판단되기에 별도의 수정이나 가감 없이 독자들에게 내보인다.

64K면 누구에게나 충분한 (메모리가) 될 것이다.(64K ought to be enough for anybody.-Bill Gates, 1981)

현대는 불확실성의 시대라고 했던가? 많은 논란을 불러일으킬 수 있는 언명이다. 하지만 컴퓨터에 있어서는 누구도 이의를 제기하지 못하는 확고한 명제다. 위에 든 인용문들은 컴퓨터가 등장한 이래 그 미래를 예측한 전문가들의 말이다. 그러나 아이러니컬하게도 이들의 말은 하나도 맞아떨어진 것이 없다. 컴퓨터의 미래는 불확실성 그 자체라 해도 과언이 아닌 것이다.

그것뿐이랴! 불행히도 컴퓨터는 우리의 일상 속에 너무도 깊숙이 자리 잡고 앉아 이제는 누구도 그 영향으로부터 벗어날 수 없고, 나아가 컴퓨터 없이는 하루도 살 수 없는 지경이 되어 버렸다. 정보화 시대는 추상적인 구두선이 아닌 우리의 일상이 되어버린 것이다. 그런 의미에서 정보화 시대와 중국학 연구는 호사가들의 파적거리나 현학적인 자기 현시 차원에서 논구될 성질의 문제가 아니다. 이제는 누구도 정보화의 굴레로부터 벗어나 살 수 없게 된 것이다.

여기에서 논하게 될 '정보화'는 이 모든 과정들을 포괄하는 개념이라 할 수 있다. 곧 컴퓨터를 이용해 논문을 쓰는 것뿐 아니라 주위에 널려 있는 자료들을 집적하고 연구에 직접적으로 소용되는 정보로 전환시키는 일련의 과정이 이에 속하는 것이다. 아울러 현금의 세계는 시간이 갈수록 '세계화'(globalization)라는 절체절명의 명제 하에 하나로 통합되어 가고 있으며, 이것은 학문의 영역에서도 예외가 아니라 할 수 있다. 이제껏 지역 간에 고립 분산적으로 수행되어온 학문 연구가 앞으로는 더 이상 국지적인 현상에 머물러 있게 되지 않을 것이라는 사실은 자명한 듯이 보인다.

그러나 과연 '정보화'는 모든 것을 해결해주는 만능 열쇠가 될 것인가? 미리부터 결론을 내리자만 그런 측면도 있고, 그렇지 않은 측면도 있을 것이다. 이 글에서는 중국학 연구에 있어 정보화가 차지하고 있는 비중을 따져 보고 그 안에 내재해 있는 명암을 조명해 보고자 한다. 하지만 그럼에도 잊지 말아야 할 것은 앞서 든 인용문의 예에서와 같이 컴퓨터와 관련한 정보화 사업에 있어 섣부른 예단은 절대 금물이라는 사실이다. 컴퓨터에 관한 모든 것은 현재진행형인 것이다.

한편 지금으로부터 10여 년 전에는 많은 연구자들이 자료를 찾아 대만으로, 혹은 홍콩으로 길을 떠났던 적이 있었다. 그것을 일컬어 혹자는 "자료 사냥"이라고 부르기도 했다. 지금은 사정이 많이 좋아졌지만, 불과 10여 년 전만 해도 이 땅에서 중국학을 한다는 것은 맨땅에 헤딩하기, 곧 완벽한 무로부터 유를 창조해내는 격이었다. 그것은 학문적으로 의지할 만한 선학들이 부재했던 탓도 있지만, 무엇보다 일차적으로 참조할 만한 자료가 절대적으로 부족했던 데 주요 원인이 있었다. 그러나 이제 상황은 급변했다. 이제는 더 이상 자료를 찾기 위해 외국으로 나가야 할 필요가 없게 되었을 뿐 아니라 오히려 넘쳐나는 자료들을 주체하지 못하는 일까지 벌어지게 된 것이다.

'인생도처유문제(人生到處有問題)'라 했던가. 예전에는 자료가 없어 글을 못 쓰고, 이제는 수많은 자료에 파묻혀 허덕이다 글에 손도 못 대는 일이 벌어지게 된 것이다. 이제 문제는 구하기 어려운 자료를 어찌 어찌 구해보는 데 있는 게 아니라 온갖 곳에 널려 있는 자료들 가운데 어떻게 옥석을 가릴 것인가에 있는지도 모른다. 너무 많은 정보는 없는 것과 마찬가지라 했다. 이제는 더 이상 'know-how'의 시대가 아니라 'know-where'의 시대라는 말이 실감나게 다가오는 것도 사실이다. 이렇듯 급변하는 사회 현실은 중국 소설 연구에 대한 패러다임의 전환을 강요하고 있다. 연구 방법론 못지않게 그러한 연구를 가능하게 하는 '지식 인프라'의 확충이 요구된다는 것이다. 그렇다면 이러한 '지식 인프라'를 어떻게 구축할 것인가? 이 글에서는 총론 격인 '정보화'의 의의와 함께 이것의 구체적인 실천 방안이라 할 수 있는 중국 소설 연구를 위한 '지식 인프라' 구축에 대해 기본적인 문제 제기를 하고자 한다.

2. '정보'와 '정보화'

2.1. '정보'란 무엇인가?

다른 용어의 경우에서와 마찬가지로, '정보'를 어떤 식으로 규정할 것인가에 대해서는 매우 다양한 논의가 있어 왔다. 그런데 '정보'라는 개념은 컴퓨터의 등장, 나아가 이것의 확산과 매우 밀접한 관계를 맺고 있다. 애당초 속도 빠르고 정확한 계산기 이상의 의미를 갖고 있지 않던 컴퓨터가 우리 곁으로 다가오게 된 것은 이것이 '정보의 처리를 위한 기계'information machine로 그 영역을 확장했기 때문이라고 해도 과언이 아니다. 그런데 엄밀한 의미에서 '정보'는 다시 '자료'data와 '정보'information로 구분되는 경향이 있다. 곧 '자료'는 단순히 "사실 또는 개념을 컴퓨터 또는 통신 장치가 처리하기에 알맞은 형식으로 표현한 것"이고, '정보'는 "사실 또는 개념에 의미나 가치가 부여된 것으로 일정한 방식에 따라 수집되고 가공된 것"이라는 것이다.[1] 이렇게 보자면, 앞서 '정보의 처리를 위한 기계'information machine라고 불렀던 컴퓨터는 "자신에게 주어진 자료(입력)를 바탕으로 그 결과 인간에게 유용한 새로운 정보(출력를) 내어놓는 기계"라고 정의할 수 있을 것이다.

한편 플루서는 '정보'가 "점점 더 개연성 있는 상황들 속으로" 나아가다가, "결국에는 하나의 형태 없는 극도의 개연적인 상황 속으로 추락하는 모든 대상들의 경향(소위 말하는 엔트로피의 법칙)"과 반대되는 경향을 취한다고 보고 있다.[2] 곧 플루서에게 있어 '정보'란 "구성 요소들의 어떤 비개연적인 조합"을 의미하고, 이것과 반대의 경향인 '엔트로피'는 "점점 더 개연성이 높은 곳으로 흐르는 경향"을 가리킨다. 결국 플루서가 말하는 '정보'는 앞서의 '자료'에 해당하고, '엔트로피'는 오히려 '정보'에 가깝다.

결국 어느 쪽이든 우리가 '정보'라고 부르는 것은 본래의 상태에 가해진 가공의 의미가 담겨 있다.[3]

---

1) 『컴퓨터용어사전』, 서울: 영진출판사, 1997.

2) 빌렘 플루서(윤종석 역), 『디지털 시대의 글 쓰기』, 서울: 문예출판사, 1998. 32쪽.

3) "…… 정보는 자료 단계에서 가공처리를 한 결과라고 정의할 수 있다. 이런 점에서 본다면 정보란 어떤 대상이라기보다는 과정이라고 말할 수 있다. 이 과정을 거치는 동안 가장 핵심적인 기능은 불확실성을 해소하는 것이다. 그러므로 다른 면에서는 불확실성을 해소시켜 얻어지는 가치라고 정의하기도 한다." (진용옥, 『봉화에서 텔레파시까지』, 서울: 지성사, 1996. 13쪽.)

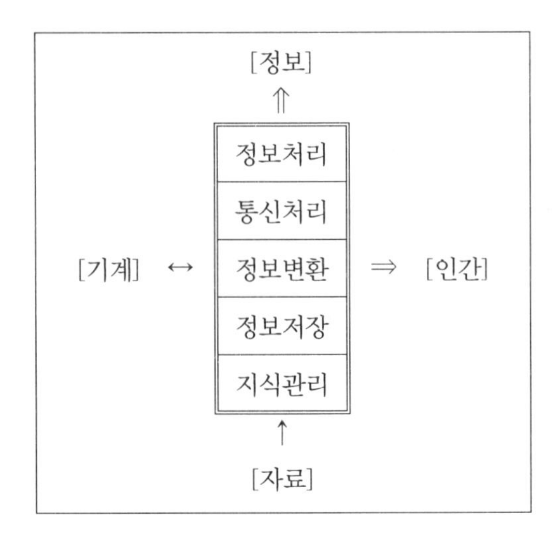

곧 매일 매일의 일기예보를 단순히 집적시켜 놓은 것은 '자료'에 불과하지만, 그것을 이용해 몇 년 간의 날씨 변화 추이를 예측하거나, 월별, 또는 일별 일기를 예측하는 것은 '정보'가 되는 것이다. 이러한 과정을 통과하면서 변환된 '정보'는 공기와 같이 자유롭게 유통되는 것이 아니라 그 나름의 폐쇄된 공간 속에서 통제되고 전파된다. 그리고 정보를 장악한 자는 세계를 읽는 채널 선택권을 쥐고 있는 거나 마찬가지였기에, 자고로 통치자들은 정보를 장악하려 혈안이 되었던 것이다.[4)]

그렇기 때문에 정보에는 양면성이 있다. 한편으로 그것은 지식에

---

4) 따로 패관(稗官)이라는 관리를 두어 '길거리와 골목의 이야기나 길에서 듣고 말한 것(街談巷語, 道聽塗說)'을 수집했던 과거 중국의 통치자들을 기억하는가? 그리고 근대 이후에도 끊임없이 이어지는 합법적이거나 불법적인 감청과 도청에 대한 논의는? 그들에게 길거리의 이야기들은 단순한 이야기가 아니라 자신들의 지고의 자리를 위협할지도 모르는 트로이의 목마였던 것이다.(조관희, 「중국소설의 본질과 중국소설사의 유형론적 기술에 대하여」, 『중국어문학론집』 제9집, 1997. 473쪽을 참고할 것.)

쉽게 접근할 수 있는 고학력 공중(public)의 출현을 의미하기도 하지만, 다른 한편으로는 하찮은 일의 홍수나 선정주의, 나아가 사람들을 오도하는 선전이나 조작을 의미하기도 하는 것이다.[5]

2.2. 안으로 형태화 하기, 또는 벽돌 굽기

한편 어원적으로 '정보'는 'in-form-ation', 곧 '안으로 형태화하기' 또는 '형태를 새겨 넣음'이라는 뜻을 가지고 있다. 이것은 "대상을 향해 지향된 하나의 소극적인 동작"으로, "근원적으로는 '어떤 것 속으로 형태를 새기는 것'을 의미하지만", "현재에 일련의 또 다른 의미[정보주기]들을 지니게 되었다."[6] 따라서 우리가 논구하려는 정보사회의 우선적인 기능은 "인간과 세상을 입력 가능한 형태의 단위물로 새겨 넣는 일"이다. 그런 의미에서 "일련 번호를 매길 수 있도록, 분류할 수 있도록, 축적할 수 있도록, 그리고 도장을 찍을 수 있도록 꾸며놓은 세상, 바로 그것이 정보 사회"[7]인 것이다.

그러나 새겨 넣는 일은 우리가 예측하지 못하는 이율배반을 생래적으로 안고 있다. 곧 "대상들이 더 좋은 기억들을 가지면 가질수록, 대상 속으로 새기는 것은 더 힘들어지고", 반대로 "대상 속으로 새기는 것이 더 쉬우면 쉬울수록 대상 속에 새겨진 정보들은 점점 더 빨리 소멸"되는 것이다.[8] 이러한 딜레마를 깨는 것이 '벽돌 굽기'이다. 곧 새기기 쉬운 흙에 글을 새겨 넣고 그것을 단단하게 굽는 것이다.

---

5) F. 웹스터(조동기 역), 『정보사회이론』, 서울: 사회비평사, 1997. 20쪽.

6) 빌렘 플루서, 앞의 책, 32쪽.

7) 김영민, 『컨텍스트로, 패턴으로』, 서울: 문학과지성사, 1996. 39쪽.

8) 빌렘 플루서, 앞의 책, 34쪽.

벽돌 굽기를 통해 우리는 "이렇다 할 객관적 저항 없이 정보를 이식시킬 수 있는 동시에, 대상을 사용할 때 나타나는 의외의 난관도 오랫동안 극복" 할 수 있게 된다.[9)]

'안으로 형태화하기'와 '벽돌 굽기'는 우리가 논의하고자 하는 '정보화 사회'가 목표로 하는 것을 비유적으로 보여주고 있다. 그것은 곧 "정보들을 생산하고, 그것들을 전승시키고, 그것들을 항구적으로 저장시키는 것"이다.[10)] 그리고 이것을 가능하게 만든 것이 바로 '반도체'의 발명이라 할 수 있다. 이제 우리는 '반도체'라는 20세기의 석기(石器)에 글을 새기고 그것을 구워 영원히 보존할 수 있게 되었다.

이것은 인류 역사상 '문자'의 발명 이후 인간의 역사를 뒤바꿔 놓은 가장 큰 변화의 계기라 할 수 있다. 문자의 발명은 곧 역사 시대의 시작을 의미하며, 반대로 문자 이전의 시대를 우리는 선사 시대라 부른다. 문자가 발명되기 이전의 시대에는 모든 것을 인간의 기억에 의지해야 했다. 이때 인간의 사유는 머리 속에서 맴돌면서 순환하는 상태였으며, 이러한 사유를 우리는 "신화적 사고"라 칭한다. 문자 기호는 이러한 순환적 사고를 '선형적'linear으로 바꾸어 놓았다. 곧 문자 기호들은 그 속성상 일직선으로 늘어설 수밖에 없는데, 그런 까닭에 문자는 앞으로 나아간다는 의미에서 문자 그대로 진보적(pro+gress)인 동시에 역사적이다.

아울러 문자로 글을 쓴다는 것은 형상과 이미지로 충만한 고대의 혼돈(chaos)을 파괴하고, 새로운 질서(cosmos)를 세운다. 그런 의미에서 "새기는 글 쓰기(글 쓰기 일반)은 형상[우상]파괴적"이다.[11)] 따라서

9) 빌렘 플루서, 앞의 책, 34쪽.

10) 빌렘 플루서, 앞의 책, 35쪽.

근본적으로는 모든 문자가 우상파괴적이고, 하나의 경악이다. 글 쓰기는 관념들을 파괴하여 투명하게 만드는 하나의 방법인 것이다.[12)]

'반도체', 또는 그 돌에 새겨진 1과 0의 부호에 불과한 디지털은 이러한 관계를 극적으로 뒤집어 보여주었다. 디지털 시대의 새로운 문자 부호는 문자가 갖고 있는 여러 가지 속성들, 이를테면 선형성, 진보적, 역사적 등등의 속성들을 모두 뒤집어 버렸던 것이다. 이제 디지털 시대의 글 쓰기, 곧 하이퍼텍스트hypertext는 더 이상 개념적이고 담론적이며 비판적인 사고를 거부하고 형상적이고 표상적이며 이미지적인 사고를 가능케 만들었다.

도스Disk Operating System가 지배하던 시대에 우리는 하나의 파일을 복사하기 위해 다음과 같은 일련의 문장을 키보드로 모니터에 새겨 넣어야 했다.

C:₩」copy a.hwp a:₩b.hwp ↵

이 문장은 영어의 구문에 충실한 것으로, 진부하게 표현하자면 4형식에 해당하는 문장이다.[13)] 나는 엄숙하게 말한다. 여기 있는

---

11) 빌렘 플루서, 앞의 책, 35쪽.
"금을 내는 철필은 하나의 송곳이이고, 각명문자들을 쓰는 사람은 맹수와 같은 사람이다. 즉 그는 형상들을 파괴한다. 각명문자들은 갈기갈기 찢겨진 파괴된 형상의 시체들이다.……따라서 각명문자들의 최초의 수용자들은 경악을 금치 못했다. 고대의 유대인들은 각명문자들로 새겨진 두 개의 돌판들 앞에서 겁먹은 듯 무릎을 꿇었다" (빌렘 플루서, 앞의 책, 36쪽.)
고대 유대인들을 겁먹게 했던 두 개의 돌판은 호렙산에서 여호와가 직접 손가락으로 두 개의 석판에 써서 모세에게 준 십계명을 말한다.

12) 월터 옹 역시 자신의 저작에서 다른 어떤 테크놀로지의 발명보다 문자가 인간의 의식을 바꾸었다는 사실을 강조하고 있다. 그의 『구술문화와 문자문화』(이기우·임명진 역, 문예출판사, 1995)를 참고할 것.

a.hwp 파일을 A 드라이브의 b.hwp 라는 파일로 복사하거라. 그리고 근엄한 표정으로 재판관이 판결을 내릴 때 그러하듯 오른손을 가볍게 움직여「엔터」키를 때린다. 그러면 가엾은 나의 신민(臣民)인 컴퓨터는 내 앞에 무릎 꿇고 나의 명령을 한 치의 오차도 없이 수행한다. 이제 우상은 다름 아닌「엔터」키를 소유한 채 모니터를 응시하고 있는 '나'인 것이다. 이런 의미에서 도스는 문자의 시대를 대표하는 규범, 또는 운영체계였다.

윈도의 등장은 바로 이러한 개념적인 사고를 단번에 무화시켜 버렸다. 윈도는 말 그대로 벽 뒤에 있는 그 무엇에 다가가기 위한 통로일 뿐이다. 나는 그 '창문'을 열고 벽 너머의 세계로 들어가는 것이다. 나와 벽 너머의 세계를 매개하는 것은 형상, 곧 아이콘icon이다. 아이콘의 부활은 문자에 의해 처참하게 파괴되었던 개념 이전의 이미지의 세계로의 회귀를 의미한다. 도스의 경우 일직선으로 나열된 알파벳으로 표현되지만 이것은 어떠한 발음된 음성들도 의미하지 않는다. 따라서 아이콘은 사람들로 하여금 그 앞에서 느끼고 실행하도록 만드는 것이다. 그런 의미에서 아이콘으로 현상되는 디지털 코드는 "개념들을 가시화시킨다는 의미에서 표의문자적"이라 할 수 있다.[14)]

인간 역사의 일정한 단계에 문자가 사람들의 역사 의식을 변화시켰듯이, 이제 디지털적 "코드변환"은 우리가 갖고 있는 문자 중심의 역사 의식을 송두리째 바꿀 것을 요구하고 있다. 그렇다면 문자를

---

13) 그렇다. 도스의 모든 명령어들은 그것을 체계화한 자들의 모국어인 영어의 구문을 그대로 따르고 있다. 그렇다면 영어를 십 수년 간, 또는 그 이상 공부해왔던 내 주위의 수많은 동학들이 아주 간단한 도스의 구문을 이해하지 못해 쩔쩔맸던 사실은 또 어떻게 설명해야 좋을지……

14) 빌렘 플루서, 앞의 책, 117쪽.

중심으로 생각할 때, 문자 이전의 시대가 역사 이전의 시대, 곧 선사 시대라 한다면, 문자의 시대는 역사 시대, 그리고 문자 이후의 시대는 탈 역사의 시대가 될 것이다. 여기에서 탈 역사는 바로 문자의 지배가 끝나고 알파벳의 선형적, 단선적 사고로써는 이해가 불가능한 복잡성의 상황, 카오스의 상태, 프랙탈 구조를 가리킨다.

2.3. '정보화 사회'에서 '지식 기반 사회'로

하지만 이런 다양한 의미 부여에도 불구하고 결국 정보는 본질적으로 '켜짐'과 '꺼짐'의 연속적인 조합에 불과하다. 나아가 '켜짐/꺼짐'은 전기적 신호가 들어오고 나가는 것을 의미하며, 이것을 바탕으로 한 컴퓨터는 2진법의 세계이다. 곧 '0'과 '1'은 "컴퓨터에서 사용되는 데이터 중 가장 작고, 가장 기본적인 단위"인 '비트'bit[15]인 것이다.

그러므로 대부분의 연구자들이 정보를 비의미적인 방식으로 인식하는 것은 무리가 아니다. 그들에게 있어 정보란 단순히 '비트'로 측정될 수 있는 양이며, 상징이 발생할 확률의 관점에서 정의될 뿐이다.[16]

이 점은 우리가 여기에서 말하고자 하는 '정보화'가 결국 컴퓨터를

15) '비트'는 Binary Digit의 줄임말이다. 이러한 '비트'가 모여서 구성하는 것이 곧 '바이트'이고, 이것은 여덟개의 '비트'로 이루어져 있다. 한 '바이트'에는 여덟 개의 0과 1이 있다는 것이다. 일반적으로 컴퓨터는 데이터를 가장 작은 단위인 '비트'가 아니라 '바이트'로 처리한다. 한편 1킬로 바이트는 1,000 바이트(보다 정확하게는 2진법으로 계산해야 하므로 210바이트=1,024 바이트)이고, 1메가바이트는 1,000,000바이트(220=1,048,576)이다. 그리고 16비트 컴퓨터니 32비트 컴퓨터니 하는 것은 데이터의 처리를 8비트 단위로 하느냐, 아니면 16비트 단위로 하느냐의 차이를 말한다. 이러한 차이는 잘 알려진 비유대로 16차선과 32차선으로 설명될 수 있다.

16) F. 웹스터(조동기 역), 앞의 책, 57~58쪽.

통해 자료가 처리되고 전송되는 데 주안점을 둘 수밖에 없다는 사실을 시사해 준다. 컴퓨터는 여러 모로 정보의 수집과 처리, 무엇보다 확산에 유용한 도구이다. 정보의 축적과 전파라는 측면에서 컴퓨터가 다른 매체보다 앞서는 점은 다음과 같은 몇 가지로 요약할 수 있다.

> 첫째, 컴퓨터에 입력된 정보는 양적 측면에 있어서 공간적인 제약을 해결해 주고 있다.
> 둘째, 거리에 제한을 두지 않는다.
> 셋째, 자료의 검색이 용이하다.
> 넷째, 정보 가공에 소요되는 시간이 절약된다.

'전자도서관'Digital Library은 이상의 특징들을 잘 나타내 보여주는 예라 할 수 있다. 여기에서는 모든 책들이 스캐너에 의해 컴퓨터에 입력되고 있다. 이렇게 책의 내용들을 컴퓨터에 입력시켜 두면 책을 보관할 때 공간을 크게 줄일 수 있고, 시간적으로도 거의 영구적으로 보관할 수 있다. 나아가 디지털화 된 자료들은 단어나 본문 검색이 용이하다.

아울러 컴퓨터는 이러한 정보의 공유와 수집을 위해 매체의 발달을 필연적으로 요구하게 되는데, 이것을 뒤집어 말하면 '정보 매체'의 발달이야말로 '정보화 사회'를 실현하는 가장 핵심적인 고리가 된다는 것이다. 과연 WWW의 등장은 이전 시대에 볼 수 없었던 정보의 폭발적인 증가와 유통을 실현시켰다. 나아가 새로운 매체인 컴퓨터를 이용한 정보 교환의 특징은 이전 시대의 그것과는 확연하게 다른 모습을 보여주고 있다. 그 특징들을 나열하면 다음과 같다.

첫째, '상호 작용성'Interactivity이다. 컴퓨터를 이용한 통신은

신문이나 TV와 같이 한쪽 방향으로만 일방적으로 제공되는 개념이 아니라, 쌍방 통행이 가능한 개념이다.

둘째, '비 매스화'De-massification이다. 컴퓨터 통신은 재래식 미디어와는 달리 보다 개별화된 메시지가 보다 개별화된 이용자에게 제공될 수 있다. 앞으로 우리는 원하는 영화를 골라 인터넷을 통해 아무 때나 볼 수 있게 된다(VOD, Video on Demand).

셋째, '비 동시성'Asynchronicity이다. 재래식 미디어는 정보를 주는 사람과 받는 사람이 동시에 동일한 주의를 기울여야 한다. 9시 뉴스는 반드시 9시에 TV 수상기 앞에 있어야 볼 수 있다. 시간대가 고정되어 있는 것이다. 하지만 요즘 우리는 이미 지나간 프로그램도 인터넷을 통해 아무 때나 다시 볼 수 있다.

이렇게 보자면, 우리가 말하는 '정보화'의 중점은 결국 "정보의 수집과 처리, 그리고 확산 등을 포괄하는 정보의 효율적인 유통을 위한 기반을 구축하는 것"에 있다는 것을 알 수 있다. 또 '정보화 사회'란 "이러한 정보의 유통을 기반으로 사회가 유지되고 구성되는 사회"를 가리키는 것이 된다.

그러나 다가오는 21세기의 화두는 오히려 '정보화 사회'에 있지 않다. 컴퓨터를 이용한 정보의 생산과 확산을 바탕으로 한 새로운 지식의 창출이 보다 관건적인 문제로 대두되고 있는 것이다. 그리고 이러한 지식을 기반으로 등장하게 될 사회가 '지식 기반 사회'knowledge-based soceity이다.[17)]

---

17) 하지만 지식 기반 사회가 과연 인류가 지향해야 할 이상형Idea Typus인지, 이것이 과연 인류가 직면하고 있는 여러 문제들을 해결해 줄 수 있는지에 대한 것은 차후의 과제로 남겨 둔다.

> 지식 기반 사회의 개념은 지식 센터에 인간의 행위와 아울러 사회의 이면에 있는 힘을 구체화해주는 무대를 제공함으로써, 현대 사회를 바라보고 응시하기 위한 새로운 전망을 열어 주었다. 이것은 앞서 언급한 것처럼 보다 최근의 개념인 정보화 사회의 개념보다도 더 큰 설명의 잠재력을 제공해 주고 있다. 정보 사회의 개념은 기본적으로 정보(사람들에 의지하지 않는)와 정보 공학의 수단만을 가리키고 있는 것이다.[18)]

'지식 기반 사회'가 '정보화 사회'와 구별되는 점은 "생산된 지식을 그 사회가 공유해 새로운 지식을 형성하고 이에 따라 사회를 혁신시키는 일련을 과정을 바탕"으로 하고 있으며, 따라서 이것은 "하나의 정체된 모습을 가진 사회가 아니고, 빠르게 변화하고 발전하는 생명체와 같은 속성을 지니고 있는 사회"라는 데 있다.[19)] 곧 '지식 기반 사회'란 자신의 생명체를 연장하기 위해 지식이라는 자양분을 소비하는 사회라는 것이다. 여기에서 '지식'은 하나의 소비의 대상으로 전락하는 위험성을 내포하고 있다. 소비의 대상으로서의 지식은 인

---

18) "The concept of knowledge-based society opens up a new perspective for viewing and contemplating modern society by giving knowledge center stage as the shaping force behind human action and concomitantly, behind society. This offers greater potential for explanations than the concept of the information society which, as mentioned, is the more recent concept. The concept of the information society refers primarily to information(which is not dependent on people) and to the means of information technology." (Stock, J. et. al. 98. Delphi Survey 1996/1998: The Potential and Dimensions of Knowledge-based Society and Its Effects on Educational Processes and Structures: Combined Final Report. Federal Ministry of Education, Science, Research and Technology. p.8)

19) 박홍석, 「학회 및 사회단체의 지식관리 현황과 지식공유를 위한 방안」(『민간주도 지식공유시스템 모색과 지식대국의 길』 정책 세미나 발표 자료, 사단법인 새문명아카데미 부설 한국지식공유센터, 1999.10.29.), 17쪽.

간이 추구하는 보다 높은 가치에 굴복해 인간을 오히려 절망적인 위험에 빠뜨릴 위험을 안고 있다는 것이다.[20] 하지만 우리가 안고 있는 딜레마는 그럼에도 불구하고 그것으로부터 벗어날 수 없다는 데 있는지도 모른다. 라오쯔(老子)의 '무위자연(無爲自然)'을 개인적인 취향으로 따를 수는 있지만, 현실 속에서 그것을 체현한다는 것은 얼마나 지난한 일이던가.

3. 중국학 연구에 있어 '정보화' 사업의 구체적 방안

3.1. 현단계 중국학 관련 학회의 지식 관리 현황

'정보화 사회'가 되었든 '지식 기반 사회'가 되었든, 우리가 안고 있는 또 하나의 딜레마는 그것을 향해 나아가는 우리의 선택의 폭이 원천적으로 제한적일 수밖에 없다는 데 있다. 그것의 미래가 불확실하건, 바람직하지 못하건 우리는 어쩔 수 없이 또는 별다른 의식 없이 받아들이고 스스로를 내맡겨야 하는 것이다. 이제 우리는 '정보화 사회', 또는 '지식 기반 사회'로 나아갈 수밖에 없으며, 어쨌거나 여기에서 뒤쳐지면 기왕에 하고 있는 일들이 크게 빛을 잃게 될지도 모른다.

그러나 우리나라 중국학 연구의 '정보화'는 지극히 낮은 수준에 머물러 있다. 흔히 '정보화'하면 떠올리는 논문 목록 데이터베이스만

---

20) 인류 전체를 죽음의 공포로 몰아넣고 있는 '핵폭탄'의 경우를 상기하라. '유전 공학'의 미래가 과연 몇몇 과학자들이 주장하는 것처럼 장밋빛일지는 두고 봐야 할 문제이다.

해도 축적된 자료가 초보적인 수준에 머물러 있고, 그 관리 또한 체계적으로 이루어지고 있지 못한 실정이다. 하지만 향후의 중국학 연구는 개인적인 차원에서 고립적으로 이루어질 수 없고 또 그렇게 되어서도 안 되는데, 그 이유로는 다음과 같은 것들을 들 수 있다.

> 첫째, 중국어문학 연구에 관한 자료의 총량만으로도 그 양이 개인이 수집하기엔 한계를 갖고 있다.[21)]
>
> 둘째, 앞으로의 중국문학 연구는 단일한 분야에서의 단일한 성격의 자료만을 가지고 이루어질 수 없다.
>
> 셋째, 우리는 이미 몇 가지의 자료를 인용하여 한편의 논문을 작성하는 것으로 만족할 수 있는 시대에 살고 있지 않다.
>
> 넷째, 과거라는 의미의 상대성을 생각할 때, 현재의 시점에서 자료를 수집한다는 것은 곧 미래의 일차자료를 미리 정리해 놓는다는 것을 의미한다.
>
> 다섯째, 이러한 성과를 바탕으로 향후의 연구방향을 제시할 수 있다.

그러나 우리나라 중국학 관련 학회들의 '정보화'에 대비한 준비는 전무한 상태라 해도 과언이 아니다. 일례로 컴퓨터가 일반화된 이후 각 학회에서 발행되는 논문집에 실리는 논문들은 대부분 흔글로 작성되어 편집되고 있다. 하지만 그런 파일들이 체계적으로 보관되어 있는 학회는 손에 꼽을 정도이다. 한 마디로 자료 집적archive의 개념이 전무한 것이다.[22)]

---

21) 연도별 국내 박사학위 논문 발표수(명예박사 제외)

연도	1986	1986	1988	1989	1990	1991	1992	1993	1994	1995	1996	1997
합계	1,906	2,325	2,623	2,747	3,280	3,348	4,048	4,127	4,429	4,786	5,157	5,372

22) 기록은 그 나라의 지적 수준을 반영하는 것이다. 미국의 정부 문서 보관서는 자국의

우리나라 중국학 관련 학회가 안고 있는 문제가 이에 그치는 것은 아니지만, 앞으로 예상되는 학문 발전의 속도와 수준을 고려해 볼 때, '정보화' 분야의 준비 소홀과 인식 부족은 적이 우려되는바 크다고 할 수 있다. 그것은 컴퓨터는 단순히 글 쓰기의 혁명에만 그치지 않고, 학문 연구의 제반 여건을 송두리째 바꿔놓을 수 있기 때문이다.[23] 조금 더 극단적으로 말하자면, 급변하는 외부 상황의 변화에 능동적으로, 적시에 대처하지 못하면 학문적으로 도태될 수도 있다는 것이다.

3.2. 기술 혁신과 '방법지'

하지만 유사 이래 여타의 기술 혁신이 그러했듯 하나의 기술 혁신이 등장할 때마다 이에 대한 반발 역시 그에 못지않게 거셌던 것도 사실이다. 문자 사용이 일반화되었을 때 당시로서는 "뉴미디어"라 할 수 있는 문자에 대해 다음과 같은 논리로 반박을 한 이들이 있었다.

> 첫째, 문자는 기억과 지혜의 영약이 아니라 오히려 기억력을 저하시킨다. 왜냐하면 문자를 쓰면 인간은 자신의 기억 능력에 의존하지 않고 외부의 기호에 자신의 기억력을 맡기기 때문이다.
>
> 둘째 문자는 단지 침묵하는 텍스트만을 제공하기 때문에 직접 대화

것뿐만 아니라 전세계에서 나온 중요한 문서들을 분류하여 보관하고 있다. 우리의 최근세에 대한 자료를 구하려 해도 국내의 유수한 도서관뿐만 아니라 미국의 정부 문서 보관서를 반드시 거쳐야 하는 것은 상식도 아닌 일이 되어버렸을 정도이다.

23) 디지털 혁명은 컴퓨터의 성능이 하루가 다르게 개선되는데 반해 가격은 엄청나게 싸지며(무어의 법칙), 인터넷에 접속하는 사용자가 많아질수록 이로부터 얻는 효용이 계산이 불가능할 정도로 커진다(메트가프의 법칙)는 특성을 갖는다. (「한겨레」 1999년 9월 27일)

로 전달될 때 지녔던 문답을 통해 의미를 해명할 수 있는 기회를 독자들로부터 박탈한다.

셋째, 문자는 구어적 대화와는 달리 의도적으로 선별된 수용자들에게만 국한되지 않고, 그 문자를 쓴 저자가 의도하지 않았던 사람들 사이에서도 회자될 수 있다.

넷째, 쓰여진 문자의 경우에는 문자를 쓴 저자가 문자와 함께 존재하는 것이 아니기 때문에, 저자는 자신의 전 개성을 다해 자신이 쓴 글에 진지한 태도를 보이지 않을 수도 있다.[24)]

약 2,500여 년 전 이제 막 사용이 시작된 문자에 대한 사람들의 이러한 반발은 사실 오늘날의 시각에서 바라볼 때, 일고의 가치가 없는 것은 아니다. 문자의 사용이 인류에게 가져다 준 이득도 있지만, 그에 못지않게 그로 인해 잃은 게 많은 것도 사실이기 때문이다. 하지만 여기에서 주목하고자 하는 것은 문자에 대한 이러한 비판과 오늘날 컴퓨터를 비롯한 뉴미디어를 거부하고 오히려 문자와 책의 형태를 고집하는 수많은 휴머니즘적 문화비판론자들의 입장이 같은 궤에 올라 있다는 것이다.[25)]

---

24) 빌렘 플루서, 앞의 책, 9쪽.

25) 말 그대로 문명 비판의 차원에서 그렇게 말하는 경우는 차후의 별도의 논의가 필요할 것이다. 문제는 다음과 같은 사람들의 경우이다.
내가 알고 있는 어떤 사람은 평소에 정보화를 강조하고 자신은 남들보다 앞서 그것을 준비했노라고 자부하다가 자신이 글을 쓰는 대목에 이르러서는 컴퓨터로 글을 쓰면 생각이 이어지질 않아서 라든 등의 이유를 들어 아직도 종이에 글을 쓰고 있다는 말을 하고 있다. 하지만 일찍부터 자판에 익숙한 요즘 젊은이들의 경우에는 그 반대일 것이다. 사실 이 양자의 사이에는 아무런 가치판단이 개입될 여지가 없다. 그저 습관의 차이일 뿐인 것이다. 한 사람은 오랫동안 펜으로 종이에 글을 쓰는 게 익어 있고, 다른 한 사람은 자판을 두들기며 글을 쓰는 게 편한 것일 따름이다. 하지만 나는 또 한 사람을 알고 있다. 그는 자신의 영어 실력에 대해 웬만한 말은 하겠는데, 전화용어에는 약해서,……라는 말을 늘어놓는 것이었다. 나는 그에게 조용히 말해 주었

문제는 '타성'이다. 선천적으로 변화에 적응을 잘하는 사람이 따로 있는 게 아니라, 게으르고 부지런하고의 차이가 있을 따름이다. 그들은 자신들이 변화를 수용하기에는 나이가 너무 많다고 강변하거나, 다른 일로 그것을 배우는 데 짬을 낼 수 없다는 핑계를 늘어놓는다. 하지만 컴퓨터를 배우고 활용하는 데 별도의 타고난 재능 같은 것이 필요한 것은 아니다. 거꾸로 당신은 머리가 모자라기 때문에 컴퓨터를 배울 수 없다고 한다면 누가 그 사실을 수긍하겠는가?

새 술은 새 부대에 담아야 한다. 우리에게 필요한 것은 이미 한물간 구식의 패러다임 속에서 지식인으로 통칭되던 지식 계급이 아니라 새로운 것에 대한 긴장감으로 항상 깨어 있으면서 새로운 패러다임을 창출해낼 수 있는 '지적 인류'(Homo-Knowledgian)인 것이다.

한편 일본의 호쿠리쿠 국립대의 노나카 이쿠지로 교수는 지식을 존재 형태에 따라 암묵지(Tacit Knowledge)와 형식지(Explicit Knowledge)로 구분한 바 있다. "인간의 기억 속에 저장돼 있는 지식을 암묵지라 하고 책이나 문서, 비디오테이프, 녹음 등 눈에 보이게 저장돼있는 지식을 형식지"라고 부르는 것이다. 여기에 내용에 따라 지식은 다시 '사물지'와 '사실지', 그리고 '방법지'로 구분되기도 한다.[26]

> '사물지'는 말 그대로 사물의 존재자체를 인식하고 있는 상태를 말하며 물리적 실체뿐 아니라 개념적인 실체까지를 포함해서 지칭하는 것이다. 인간이 태어나 생활하면서 느낌과 생각을 통해서 인지하게 되는

다. "너의 전반적인 영어 실력이 약한 거야." 영어를 하는 데 무슨 전화 용어가 따로 있고, 뉴스 용어가 따로 있다던가? 영어를 잘한다는 것은 여러 가지 상황에 능동적으로 대처할 수 있다는 걸 의미할 뿐이다.

26) 「신지식인 보고서, 부가가치창출의 핵심은 '방법지'」, 『매일경제신문』, 1998. 12. 03.

모든 사물에 관한 지식을 뜻한다. 예컨대 "나는 프랑스를 안다"거나 "나는 자유와 정의를 안다"는 등의 표현이 그것이다.

'사실지'는 이보다 더 구체화된 사물의 상태, 즉 사물의 특성이나 원리를 아는 것이다. "나는 지구가 둥글다는 것, 물은 산소와 수소로 이뤄졌다는 것을 안다"는 것이 대표적인 예가 될 수 있다.

또 '방법지'는 행동과 결과간의 인과관계를 아는 것으로 정의된다. A라는 전제가 충족되면 B라는 결과가 나타나리라는 것을 알기 때문에 인간의 욕구를 해결하는 방법에 관한 지식이라 할 수 있다. 된장찌개를 맛있게 끓이기 위해 무엇을 넣어야 하는지, 혹은 윈도98 소프트웨어를 개발하려면 어떻게 해야 하는지를 아는 것이다.

이제까지의 지식은 앞서의 두 가지를 주로 가리켰지만, 향후 새로운 패러다임의 창출로 직접 이어질 수 있는 것은 '방법지'가 될 것이다. 나아가 새로운 패러다임을 창출하려면 지식을 획득하고 저장, 활용, 공유해 나갈 수 있는 사이버네틱적인 의미에서의 능력이 절실하게 요구된다. 또한 이러한 능력은 일개인의 차원에서만 요구되는 것이 아니라, 해당 사회 전체의 시스템에도 똑같이 요구된다고 할 수 있다. 어떻게 보면 그래야 하는 줄 몰라서 그렇게 못하는 게 아니라 그런 줄 알면서도 그렇게 안하게 만드는 사회 전체의 시스템이 오히려 더 큰 문제가 될 수 있다는 것이다.

3.3. '중국학 센터'의 의의

그렇다면 과연 우리나라 중국학 연구에 있어서의 정보화 사업은 어떤 방향으로 진행되어야 할 것인가? 이제 그 구체적인 실천 방안에 대해 몇 가지 소개와 제안을 하고자 한다.

앞서도 말한 바 있지만 우리나라 중국학 연구의 정보화는 아주 낮은 수준이라고 할 수 있다. 하지만 뭐 그렇다고 해서 이런 사실에 주눅이 들 필요는 없다. 다른 일들과 마찬가지로 컴퓨터 역시 늦다고 생각한 순간이 가장 빠른 순간이 될 수 있기 때문이다. 나아가 컴퓨터의 경우에는 하드웨어의 발전 속도가 워낙 빠르기 때문에, 늦게 출발한 게 오히려 득이 될 때도 있다. 우리나라에서 가입자가 가장 많고 데이터의 축적이 가장 많은 통신 서비스는 데이콤의 "천리안"이다. 하지만 천리안의 데이터들은 대부분이 도스 시절에 구축해 놓은 것이기 때문에, 윈도 환경으로 바뀌어 버린 요즘에 와서는 이들 데이터들이 오히려 짐이 되어버렸다. 천리안의 구조는 껍데기는 윈도 환경이지만, 그 안에 담겨 있는 자료들은 오히려 도스 환경에 머물러 있는 이중 구조를 취할 수밖에 없으며, 이것은 천리안이 새로운 단계로 도약하는 데 적지 않은 부담으로 작용하고 있다. 오히려 후발업체들인 "유니텔"이나 "넷츠고", "채널아이" 등은 처음부터 윈도 환경에서 시작함으로써 오히려 새로운 변화에 발 빠르게 적응하고 있는 것이다.

우리나라 중국학계에서도 비슷한 예를 찾아 볼 수 있다. 연전에 서울대 서경호 교수가 주축이 된 "중국어문학연구자료실"(이하 자료실로 약칭함)이 바로 그것이다. 대부분의 사람들은 이 "자료실"에서 하는 일이 단지 "소식지"를 내고, 필요한 자료들을 복사해주는 것으로 알고 있었는지 모르지만, 사실 "자료실"에서 추진했던 일 가운데 가장 핵심적이라 할만한 것은 중국문학 관련 논문 데이터베이스 구축이었다. 현재 이 "자료실"은 여러 가지 현실적인 여건 때문에 잠시 활동을 접은 상태로 권토중래를 모색하고 있는 중이다. "자료실"이 실패로 돌아간 데에는 여러 가지 이유가 있겠지만, 내가 보기에 가장 큰 이유는 시기가 너무 빨랐다는 데 있다. 당시 "자료실"에서 구축한 데이터베이스는 286 컴퓨터에 영문 데이터베이스 프로그램인 Dbase Ⅲ를 깔고 일명 '청계천 카드'라 불리는 7비트짜리 초기의 한글 카드를 이용해 자료를 입력하는 방식을 사용했다. 이것은 모든 한자를 일일이 따로 입력을 해야 하는 엄청나게 불편한 방식이었다. 작업의 단순함으로 인해 작업자는 쉬 지쳤으며, 따라서 하루에 입력하는 자료의 양은 제한적일 수밖에 없었다. 결국 서경호 교수의 자료실은 엄청난 인건비와 노력을 들였음에도 불구하고 제대로 뜻을 펴보지도 못하고 돈좌해 버리고 말았다.

이후 우리나라 중국학 연구의 정보화 사업은 한국중국소설학회(이하 소설학회로 약칭함)의 몫으로 넘어가게 되었다. 소설학회 역시 초기에는 많은 시행착오를 거듭했다. 여기에서 한 가지 짚고 넘어갈 것은 자료실과 소설학회의 시행착오가 갖고 있는 의의이다. 활동을 중단해 버린 자료실이나 아직도 여러 가지 어려움에 처해 있는 소설학회가 이제까지 겪어온 시행착오는 금후에 본격적으로 다가올 정보화 시대를 준비하는 몸부림이라 할 수 있고, 이러한 시행착오를 통해 중국문학 관련 정보화 사업에 하나의 표준을 제시할 수 있었다는 것이다. 자료실과 소설학회의 실패와 좌절을 통해 여타의 학회들은 그런 전철을 밟지 않을 수 있게 되었다고 할 수 있다. 현재는 소설학회를 중심으로 몇 개의 학회들이 모여 '중국학중심'(또는 '중국학센터')이라는 학술 컨소시엄을 결성하고 공동으로 정보화 사업을 추진해 나가고 있다.

'중국학중심'의 의의는 비슷한 작업을 각 학회마다 반복적으로 수행함으로써 나올 수 있는 중복 투자의 위험을 배제하고, 아울러 여러 학회가 공동으로 작업을 수행함으로써 그로 인한 시너지 효과를 기대할 수 있다는 데 있다. 이제 현재 '중국학중심'이 진행하고 있는 구체적인 사업에 대해 알아보기로 하겠다.

3.4. 구체적인 정보화 사업의 진행

우선 밝혀 둘 것은 정보화 사업의 방향은 '넷트웍'의 구축과 '컨텐츠'의 개발이라는 두 가지 축을 중심으로 양자가 동시에 진행되어야 한다는 것이다. '중국학중심'의 '넷트웍'은 인터넷을 통한 '홈페이지' 구축으로 실현될 수 있으며, '컨텐츠' 개발은 다양한 데이터베이스의 집적을 통한 '전자도서관'의 설립을 의미한다.

첫째, '홈페이지'는 'www.sinology.org'라는 도메인 명으로 '한국중어중문학회'를 필두로, '한국중국학회' 등 17개의 학회가 공동으로 참여하고 있다.[27] '중국학중심' 홈페이지의 특징은 개방성에 있다. 몇몇 사람에 의한 정보의 독점을 반대하기도 하지만 동시에 올바른 저작권 수립을 추구하고 있기에, '중국학중심'의 '홈페이지'에는 어떠한 중국학 관련 학회도 가입할 수 있으며, 필요할 경우 기술적인 지원도 가능한 상태이다. 홈페이지의 주요 기능은 기존의 통신 서비스의 본연의 기능이라 할 "게시판"을 중심으로, 기본적인 자료들을 제공하는 데 주력하고 있다. 아울러 회원들에게 이메일을 발급해

---

27) 현재 가입되어 있는 학회는 다음과 같다. 대한중국학회, 선어록학회, 중국문학이론학회, 중국문화학회, 중국어문논역학회, 중국어문연구회, 중국어문학연구회, 중국어문학회, 중국인문학회, 중국학연구회, 한국중국학회, 중국현대문학학회, 한국중국산문학회, 한국중국소설학회, 한국중국언어학회, 한국중문학회, 한국중어중문학회

'중국학중심'만의 독자적인 이메일 서비스를 제공하고 있으며, 원하는 경우 개인 홈페이지도 서비스하고 있다.

둘째, '컨텐츠' 개발은 앞서 이야기한 중국학 관련 데이터베이스의 구축에 중점을 두고 있다. 여기에서 만들어진 모든 데이터베이스는 기본적으로 웹Web에서 제공하는 것은 물론이려니와, 필요한 경우 씨디롬으로 제작하여 염가에 제공할 예정이다. 현재 진행중인 데이터베이스는 다시 다음과 같은 몇 가지로 나뉜다.

우선, 각 학회에서 발행한 모든 간행물들을 씨디롬화하는 것을 들 수 있다. 여기에는 논문집이나 소식지, 또는 자료집 등이 포함된다. 실제적인 씨디롬 제작을 위해 상명대 한중정보문화연구소가 실무 지원을 하고 있으며, '중국학중심'에 가입한 학회가 아니라 하더라도 원하는 경우 씨디롬 제작을 해줄 예정이다.

다음으로 중국학 관련 원전 텍스트에 대한 디지털화 작업을 들 수 있다. 이를테면 『문심조룡(文心雕龍)』이나 『문선(文選)』 등과 같은 원전 텍스트를 컴퓨터 파일화 한다는 것이다. 현재 웹상에는 세계 각국에서 작업해 올린 HTML 파일들이 넘쳐 나고 있는데, 이것들을 수합해 선본(善本)과 대조하여 교정하는 작업을 통해 해당 텍스트의 디지털화된 정본(定本)을 만든다는 것이다. 이와 동시에 웹에서 구할 수 없는 자료들은 직접 스캐너로 OCR 작업을 병행해 나갈 것이다. 현재 상당한 분량의 텍스트가 디지털화되어 있으며, 이것은 적당한 시기에 공개될 것이다. 아울러 중국학 관련 석박사 논문 파일들을 수합해 말 그대로 '전자도서관'을 만들 예정이나, 여기에는 저작권 확보라는 난점이 있기에 사실상 많은 어려움이 있다. 개인적인 차원에서 서로 파일을 주고 받을 수는 있지만, 웹에서 공개적으로 석박사 논문 파일들을 제공하는 것은 현실적으로 극복해야 할 장애가 많이 있는 게 사실이다. 이 점에 대해서는 현재 방법을 모색중이다.

마지막으로 가장 중요한 중국학 관련 논문 목록 데이터베이스 작업이다. 현재 소설학회에서는 시범적으로 20세기 전세계에서 나온 중국소설 관련 논문목록 데이터베이스 작업을 진행중이다. 이제 막바지 작업에 들어가 데이터의 정리와 프로그램의 개발이 동시에 진행되고 있는데, 약 1년 여에 걸친 시간 동안 작업에 참여한 사람들이 겪어야 했던 어려움은 이루 필설로 형용할 수 없을 정도이다. 지면 관계상, 무엇보다 논의의 효율상 이에 대한 구구절절한 이야기를 여기에 다 펼쳐 보일 수는 없고, 다만 여러 동학들의 헌신적인 노력으로 향후 중국학 관련 논문 데이터베이스 작업을 위한 하나의 표준이 만들어졌다는 사실만 밝혀두고자 한다.[28]

4. 맺음말을 대신하여-남겨진 문제들

하지만 이상에서 간략하게 살펴본 중국학 관련 정보화 사업은 현실적으로 풀어나가야 할 난점들을 많이 안고 있다. 그 가운데 첫 번째는 '한자' 코드의 문제이다. 이것은 한중일 삼국이 똑같이 한자를 쓰면서도 세계적으로 통용되는 공통의 표준이 마련되지 않은 데서 나온 것으로 현재 유니코드 등 해결 방안을 모색 중이다. 하지만 각

28) 이밖에도 서라벌대학의 조성환 교수가 추진하고 있는 『한국의 中國語文學研究家辭典』 작업 역시 기본적으로는 '중국학중심'의 데이터베이스 사업과 연계하는 것으로 잠정적인 합의를 보았다. 향후 작업이 진행되는 대로, 이에 대한 전산화의 솔루션을 제공하게 될 것이다.

국의 이해관계가 생각보다 복잡하게 얽혀 있어 보다 획기적인 차원에서 해결 방안이 마련되지 않으면 당분간은 극복하기 어려운 난제로 남을 것이다. 현재 사용하고 있는 KSC 5601 한글코드로는 한자를 4,888 자밖에 사용할 수 없어, 위에서 말한 몇 가지 데이터베이스 작업 가운데, 이를테면 학회 간행물 씨디롬 작업의 경우 텍스트 검색이 안 되는 이미지 파일로밖에 제공을 하지 못하는 한계를 태생적으로 안고 있으며, 이것은 다른 경우에도 마찬가지이다.

두 번째는 데이터베이스를 만들고 사용하는 '주체'의 문제를 들 수 있다. 이것은 앞서 말한 변화에 적응하지 못하고 기왕의 '타성'에 젖어 있는 컴퓨터 사용자들의 문제이다. 쉽게 말해서 아무리 좋은 데이터베이스를 구축한다 하더라도 사용자가 실제로 접속을 하고 사용을 하지 않으면 아무 소용이 없는 것이다. 현재 '중국학중심' 홈페이지 사용 실태를 보면 이 문제가 의외로 심각하다는 것을 알 수 있다.[29] 아직까지도 이메일 사용을 버거워 하고 컴퓨터를 단순히 고급 타자기 정도로밖에 활용하지 않는 사람들이 대다수를 차지하고 있는 실정에서 컴퓨터로 정보를 주고 받고 처리한다는 것은 남의 나라 애기일 수밖에 없는 것이다. 그러므로 무엇보다 컴퓨터를 적극적으로 배우고 활용하려고 하는 사용자의 의지가 중요하다고 할 수 있다.

세 번째는 시스템의 문제이다. 여기에서 말하는 시스템이란 새로운 자료를 계속적으로 업데이트할 수 있는 체계적인 관리 시스템을

29) 아직까지 '중국학중심' 홈페이지가 있다는 것조차 모르고 있는 사람들도 많고, 설혹 접속을 해서 들어왔다 해도 그저 한번 훑어보고 나가는 사람이 대부분이다. 시험삼아 '중국학중심' 게시판을 들어가 보라. 한바탕 전쟁을 치른 뒤 차가운 소슬바람만 몰아치는 계백 장군의 황산벌이 그보다 더 썰렁할 수 있을까 하는 생각이 들게 된다. 하지만 조회수를 보면 의외로 많은 사람들이 찾아 왔다는 걸 알 수 있다.

말한다. 현재 비교적 컴퓨터에 능숙한 의욕 있는 몇몇 사람에 의해 운영되고 있는 '넷트웍'과 '데이터베이스' 사업은 극단적인 경우 몇몇 사람의 손에 의해 농단될 우려가 있고, 나아가 쉽게 소멸될 수도 있는 것이다. 이것을 공고화하기 위한 방안 마련은 이제 우리나라 중국학 관련 학회의 몫으로 넘겨졌다고 할 수 있다.

그렇다면 이제 '중국학중심'을 필두로 한 우리나라 중국학 관련 학회의 정보화 사업을 위한 실천 방안은 무엇이 있을까?

우선 '중국학중심'을 둘러싼 관련자들을 그 기능에 따라 분류하면 다음과 같다.[30)]

첫째는 'Sponsor'로서, 이들은 특정 분야의 지식을 지식 베이스 내에서 어떻게 등록하고 유지 관리할 것인가에 대해 전체적인 정책을 정하고 해당 Knowledge Folder내에 있는 지식의 품질에 대한 책임을 진다.

둘째, 'Reviewer'로서, 특정 분야의 지식에 대해 전문성을 가진 사람으로서 Sponsor로부터 권한을 위양받아 Author가 저술한 문서를 지식 관리시스템에 정식 등록하기 이전에 검증하고 그 결과를 피드백 해준다. Reviewer의 필요 여부는 Sponsor의 정책에 전적으로 의존한다.

셋째, 'Author'는 공유할 필요가 있다고 판단되는 지식을 직접 작성하는 사람을 말한다. 누구나 Author가 될 수 있으나, Author가 특

30) 정철흠, 「기업 및 대학의 지식관리 현황과 지식 공유를 위한 방안」(『민간주도 지식공유시스템 모색과 지식대국의 길』 정책 세미나 발표 자료, 사단법인 새문명아카데미 부설 한국지식공유센터, 1999.10.29.), 13쪽.

정 지식 Folder에 작성 내용을 등록할 수 있는가에 여부는 Sponsor가 정한 정책과 해당 Author의 권한을 기술한 개인별 Profile에 따라 달라질 수 있다.

넷째, 'Operator'는 시스템의 개발과 유지 보수를 담당하는 사람을 말한다.

다섯째, 'User'는 시스템을 사용하는 모든 사람을 가리킨다.

이제 '중국학중심'에서 향후 추진하게 될 정보 서비스를 위한 실천 방안에 대해 알아보면 다음과 같다.

첫째, 저작권의 관리를 들 수 있다. 저작권이란 저작물을 창작한 저작자에게 저작권법이 인정하는 배타적인 권리를 의미한다. 최근 들어 활발해진 기술력의 발달은 디지털 저작물의 출현과 인터넷이라는 유통 환경의 변화를 맞이하여 새로운 문제에 직면하고 있다. 그런 의미에서 앞으로 다양해질 정보 서비스를 대비하여 그러한 서비스의 주요한 내용이 될 데이터베이스를 비롯한 각종 저작물들에 대한 저작권에 대한 관심을 갖고 준비를 해야 할 것이다.

둘째, 자료의 업데이트에 대한 것이다. 앞서도 간략하게 설명한 바 있지만, 홈페이지를 비롯한 정보 데이터베이스 사업의 성패는 새로운 자료의 업데이트에 달려 있다고 해도 과언이 아니다. 90년대 이후 폭발적으로 늘어난 중국학 연구자들의 연구성과물들을 어떤 방식으로 데이터베이스에 지속적으로 반영시킬지에 대한 고민해야 할 시기가 온 것이다. 이것은 앞서 말한 시스템의 문제와 긴밀한 관련을 맺고 있다.

셋째, 정보의 공유체제를 구축하는 일이다. 이것은 앞서 말한 바 있는 '중국학중심' 홈페이지 구축을 통한 '넷트웍'을 의미한다. 당연한 말이 되겠지만, 정보에 대한 서비스는 이용자가 개별 학회에 접속하는 것보다 여러 개의 학회가 모여 있는 현재의 방식으로 하는 것이 이용자의 편의 및 확보, 규모의 경제학, 불필요한 중복 투자의 방지 등 많은 시너지 효과를 얻을 수 있다. 앞으로 남은 과제는 아직 참여하지 않은 여타의 학회들을 설득하고 참여시키는 일이 될 것이다.

이상으로 현재 진행되고 있는 '정보화' 사업에 대해 간략하게 알아보았다. 분명한 것은 현재의 수준에서 예상하지 못한 어려움들이 아직도 도처에 산재해 있을 것이라는 사실이다. 중국학 연구자들의 관심과 성원을 부탁하는 것으로 거칠게 개괄한 이 글을 맺고자 한다.

『중국어문학론집』 第16호, 서울: 중국어문학연구회. 2001.2.

한국의 중국어 교육에 대한 반성적 고찰

–'실용 중국어'에서 '문화 중국어'로

1. 들어가면서

중국과의 수교 이후 이 땅에 불어 닥친 중국어 열풍으로 많은 사람들이 중국어에 관심을 갖게 되었다. 이러한 관심은 곧 중국어를 배우고자 하는 열의로 이어져 실제로 중국어 학습자 수는 그 이전에 비해 눈에 띄게 증가했다. 이러한 중국어 학습자 숫자의 증가로 중국어 교수자에 대한 수요 역시 폭발적으로 늘어나 중국어 교육 문제는 이제 중문학계뿐 아니라 전 사회적인 문제로까지 그 외연을 확대하게 되었다.

이에 따라 전통적인 문법-번역식 교수법 위주로 진행되어 왔던 대학에서의 중국어 교육 방식에 대해서도 비판적인 검토가 이루어져, 그 결과 독해 위주로 진행되었던 수업 방식이 실용적인 회화 중심으로 전환되었다. 그리하여 많은 대학의 중문과 커리큘럼에서는 기왕의 문학 위주의 교과목들이 대거 폐지되고 중국어 수업이 그 자리를 대신했다. 그렇게 불어 닥친 실용 중국어 바람은 근 10여 년 동안 우리 대학의 중국어 교육을 주도해 왔다. 여기에 우리나라의 경제 발전에 힘입어 중국에 직접 어학연수를 다녀오는 등 예전에 비해 다양해진 학습 경로를 통해 중국어 학습자의 중국어 구사 능력은 월등하게 향상되었다.

이러한 중국어 교수와 학습에 대한 관심의 증가는 학계에도 일정한 영향을 미쳐 2005년에는 기존의 한국중국언어학회와는 별도로 '중국어교육학회'가 출범하기도 했다. 이렇듯 중국어 교육을 전문적으로 다루는 학회가 생겼다는 것은 더 이상 중국어 교육 문제를 몇 사람의 호사가들의 손에 맡겨서는 안 된다는 공통의 인식이 자리를 잡아가고 있다는 것을 시사해준다. 이 글에서는 이러한 저간의 사정을 돌아보고 현재 진행되고 있는 중국어 교육은 문제가 없는지에 대해 검토하고자 한다.

2. 중국어 교육의 패러다임 전환

앞서도 이야기했듯이 현재 우리나라에서 이루어지고 있는 중국어 교육의 특징은 한 마디로 '실용주의 어학 교육'으로 규정할 수 있다. 여기에서 말하는 '실용주의 어학 교육'을 거칠게 개괄하자면 책상 위에서 독본을 강독해 나가는 것이 아니라 실제 현실에서 당장 써먹을 수 있는 표현들을 익힘으로써 중국인들과 의사소통을 자유자재로 하는 것을 목표로 하는 회화 위주의 교학 방법이라고 말할 수 있다. 이러한 목표를 달성하기 위해 각 대학은 원어민 강사를 초빙하고 학생들을 직접 중국에 보내 현지 대학에서 연수를 받게 하는 등 다양한 노력을 기울여 왔고, 현재까지도 기울이고 있다.

이러한 노력 덕분인가? 과연 요즘 대학생들의 중국어 구사 능력은 이전의 선배 세대들에 비해 월등하다고 할 수 있을 정도로 향상된 듯이 보인다. 우선 그들은 중국인과 만나는 것 자체를 그리 두려워 하지 않는다. 그리고 중국인을 만나면 어떤 식으로든 몇 마디 이야기를 예사로 나눈다. 제대로 된 중국어 교재 하나 없던 시절, 중국 사람을 만난다는 것은 어쩌다 들른 중국집 화교 아저씨가 전부이던 시절에는 꿈도 꿀 수 없었던 일들이 현실이 된 것이다. 이전에는 유학을 갔다 오지 않고 순수하게 국내에서만 공부했던 일부 연구자의 경우, 심지어는 교수조차도 중국어를 못해 중국 사람 만나면 쩔쩔매다 나는 문학 전공이기 때문에 중국어를 못한다는 말을 내뱉기도 했었다. 그런 시절과 비교하면 요즘 대학생들의 중국어 실력은 조금 과장을 섞어 말하자면 하늘과 땅 차이라고도 할 수 있다. 그리고 나라 전체를 놓고 보더라도 중국어를 구사할 줄 아는 사람의 숫자는 또 얼마나 많아졌는가? 이 모든 것은 그 동안 각 대학에서 온 힘을 쏟아 부었던 '실용주의 어학 교육'의 결과라 할 수 있다.

하지만 세상 모든 일이 그렇듯 양지가 있으면 음지가 있고, 장점이 있으면 단점도 있게 마련이다. 그렇다면 과연 '실용주의 어학 교육'은 만능인가? '실용주의 어학 교육'은 학습자가 쉽게 입을 떼고 중국인들과 만나더라도 주눅 들지 않게 할 수 있다는 점에서는 일단 긍정적인 평가를 내릴 수 있다. 그렇다고는 해도 '실용주의 어학 교육'이 어떤 문제점이나 한계를 갖고 있지 않은 것은 아니다. 이러한 문제점과 한계는 일반인들이 '실용주의 어학 교육'에 대해 갖고 있는 몇 가지 신화로 드러난다. 이러한 신화를 뒷받침하는 것이 일반적으로 우리 경제는 대외 의존도가 높기 때문에 먹고살기 위해서는 외국어를 한 두 가지쯤 구사할 수 있어야 한다는 주장이다. 이 점에 대해서는 별다른 반론의 여지가 없기에 온 나라 사람들이 외국어 학습 열풍에 너도나도 뛰어드는 것은 더 이상 논란거리가 되고 있지 못하고 있는 게 사실이다. 문제는 그렇다면 어떻게 해야 외국어를 효과적으로 잘 배울 수 있는가 하는 것일 텐데, 이에 대해서는 중구난방 헤아릴 수 없을 정도의 외국어 학습 방안이 쏟아져 나와 오히려 우리의 판단을 흐리고 있다. 아래에서는 우리 사회 한쪽 구석에서 떠돌고 있는 '실용주의 어학 교육'과 연관한 몇 가지 신화에 대해 비판적으로 검토하고자 한다.

첫째, '원어 강의'의 허와 실이다. 요즘 대학들은 너나 할 것 없이 영어나 중국어로 진행하는 수업을 늘리고 있다. 국제화 시대에 부응하려면 외국어 구사 능력이 뒤따라 주어야 하는데, 이를 위해서는 수업 자체를 외국어로 진행해야 한다는 것이다. 이에 대해서는 현재도 갑론을박이 이루어지고 있는데, 어찌 보면 문제의 해결은 간단한 데 있는지도 모른다. 이를테면, 영어를 예로 들자면 "생물학을 소재로 한 '영어 수업'은 가능하지만 생물학 '전공'을 영어로 강의하는 것은 불가능하다"[1]는 것이다. 현재 어느 대학인가는 중문과 수업마저도 영어로 진행하고 있다고 한다. 하지만 과문한 탓인지는 모르겠으나, 우리나라 중문과 교수 가운데 자신 있게 중문과 수업을 영어로 진행할 정도로 영어를 잘 하는 사람은 거의 없다는 게 필자의 생각이다. 나아가 더듬거리는 영어 수업이나마 제대로 알아듣는 학생들의 숫자는 또 몇이나 되겠는가? 중국어의 경우도 마찬가지다. 요즘

---

1) 송승철, 「영어: 근대화, 공동체, 이데올로기」, 윤지관 편, 『영어, 내 마음의 식민주의』, 당대, 2007. 138쪽.

엔 중국어 구사 능력이 뛰어난 교수의 숫자가 많이 늘어난 것은 사실이지만, 그럼에도 모어가 아닌 다음에야 자신의 생각을 있는 그대로 자유롭게 학생들에게 전달할 수 있을 정도의 중국어 실력을 가진 사람은 손에 꼽을 정도이다. 백 번을 양보해 학생들이 중국어에 노출되는 시간을 늘리기 위해 부득이하게 원어 강의를 해야 한다면, 원어 강의에 대한 수요는 어느 정도이며, 그러한 수요에 부응하기 위해서는 어떤 과목을 어떤 방식으로 원어 강의를 진행해야 할 것인가 하는 점에 대해 진지한 사전 검토가 이루어져야 할 것이다. 현재 이루어지고 있는 원어 강의는 교수 개인의 취사선택에 달려 있어 대학 당국에서 원어 강의 방침이 정해지면 교수 개인의 취향이나 호오에 따라 자신의 과목을 중국어로 진행하게 된다. 이런 방식으로는 원어 강의가 주먹구구식으로 이루어질 수밖에 없으며, 결과적으로 원어 강의의 본래 취지가 많이 빛 바래게 된다.

둘째, '어학연수'는 만능인가 하는 점이다. 학생들을 지도하다 보면, 어학연수에 대해 많은 질문을 받게 된다. 외국어를 배우는 학생들 입장에서는 기본적으로 해당 외국어의 대상 국가에 대한 환상이 있을 것이고, 나아가 자신의 부족한 어학 능력을 제고하기 위한 수단과 방편의 하나로 어학연수를 생각하게 되는 것은 자연스러운 현상이라 할 수 있다. 하지만 많은 학생들의 경우 어학연수를 외국어를 배우는 하나의 방편이 아니라 그 자체를 절대화하여 어학연수만 다녀오면 모든 게 해결될 것처럼 생각하는 경향이 있다. 이럴 때 필자는 학생들에게 항상 해주는 말이 있다. 어학연수는 필요하지만, 문제는 어학연수를 가고 안 가고의 문제가 아니라 어디라 할 것 없이 열심히 하는 사람이 외국어를 잘하는 것이고, 여기에 어학연수를 통해 현장 체험이 더해진다면 금상첨화라고. 하지만 비용 대비 효율성만은 놓고 볼 때는 과연 어학연수가 외국어 학습의 만능인 것처럼 생각되는 것이 옳은 것인가 하는 점에 대해서는 적잖이 회의적이라는 게 솔직한 심정이다. 특히 한국 학생들이 많은 곳에서는 영어든 중국어든 소기의 목적을 거두기 힘든 게 사실이다.

물론 이렇게 말하는 것 역시 어학연수가 전혀 무용하다는 것은 아니다. 문제는 어학연수 자체보다 어학연수를 떠나는 주체에 있는지도 모른다. 많은 사람들이 오해하는 것 가운데 하나가 현지에 가면 외국어가 저절로 습득되고 실력이 향상될 것으로 기대하는 것이다. 어학연수를 다녀온 적이 있는 사람들은 알겠지만, 사실 단순히 현지에서 생활하고 공부하는 것만으로 기대했던 만큼의 성과를 얻기는 힘들다. 결론부터 말하자면 어디에서 공부하느냐가 중요한 게 아니라 어디에 있든 내가 얼마나 열심히 공부하느냐 하는 것이 더 중요하다는 것이다.

> 외국 대학의 어학원에 가기만 하면 우리 대학의 영어 교실과는 전혀 다른 영어 회화의 새로운 세계가 열릴 것 같은 생각은 완전히 착각이라는 사실을 알아야 한다. 또 외국에 간다고 다 외국 사람과 많은 접촉을 하게 되는 것도 아니다. 유명 대학의 어학원 교실에는 머리 노란 서양인이라고는 선생 하나고 나머지 대부분은 한국인이거나 아시아계 혹은 한국의 중학교 수준의 어휘력을 가진 남미 유럽인들인 경우가 대부분이기 때문이다. 거기다 반나절이면 하루의 수업이 끝나고, 방과 후 같이 어울려 한국 식당으로 몰려가는 건 한국 친구들인 경우가 대부분이기 때문이다. 또 그들의 어학 프로그램이 반드시 우리 학생들에게 적합하다고 보장할 수도 없다. 우리 대학생들의 경우 대부분 문법이나

어휘력이라는 면에서는 외국의 어학원 교실에서 새로 배울 것이 별로 없다.[2]

필자는 어학연수를 떠나는 학생들에게 ‘쪽박’ 이야기를 들려준다. 안에서 새는 쪽박은 나가서도 샌다는 것인데, 이것은 곧 여기서 공부를 안 하는 친구들은 나가서도 공부를 하지 않는다는 것이다. 모든 일이 그러하듯이 철저한 준비 없이 막연한 기대만을 가지고 추진하게 되면 소기의 성과를 얻기 어려울 뿐 아니라 별 소득 없이 시간과 돈만 날리는 일까지 벌어질 수 있다. 그렇기 때문에 필자는 개인적으로 별 생각 없이 어학연수를 떠나려는 학생들에게는 일차적으로 자신의 학습이 부진한 원인을 외부에서 찾지 말고 자기 자신에게서 찾아볼 것을 권하고, 나아가서 준비 없는 어학연수보다는 같은 비용을 들여 장기간 배낭여행을 떠나는 게 어떻겠느냐고 제안한다.[3] 그것은 내가 바뀌지 않으면 세상을 바뀌지 않기 때문이기도 하다.

셋째, ‘유학의 허상’이다. 근대 이후 식민지의 경험과 전쟁의 고통으로 정상적인 국가 발전의 경로를 밟지 못한 후발주자로서 우리가 할 수 있는 일은 우리보다 나은 처지에 있는 나라에 직접 가서 그들이 오랫동안 공들여 쌓아올린 여러 가지 것들을 배워 오는 것이었다. 그런 의미에서 유학은 우리가 선진 문물을 받아들이는 유일한 경로로서 일정한 역할을 해왔던 것이 사실이다. 중문학의 경우도 마찬가지여서 국내의 대학에 대학원이 설립되어 연구자들을 양성하기

---

2) 박찬길, 「500 단어의 유창한 영어 실력과 어느 아랍 외교관의 차이」(윤지관 편, 『영어 내 마음의 식민주의』, 당대, 2007.), 237쪽.

3) “많은 경우 1년 간의 해외 영어 연수 효과는 한 달간의 해외 배낭여행과 수개월간의 잘 짜인 국내 영어 프로그램의 효과보다 못하다.” (박찬길, 앞의 글, 238쪽.)

이전인 1980년대 이전에는 중문학을 공부하려면 어쩔 수 없이 당시로서는 유일한 통로였던 타이완으로 유학을 갔어야만 했다. 여기서 이러한 유학의 불가피성과 장단점에 대해 알아보는 것은 우리의 논점이 아니다. 우리가 주의해서 보아야 하는 것은 유학과 중국어 학습의 관계에 대해 것인데, 일반적으로는 유학을 다녀오게 되면 해당 외국어를 자유롭게 구사할 수 있고, 또 그래야 하는 것으로 생각되고 있다.

물론 해당 국가에서 오랜 기간 공부를 하면서 강의를 듣고 지도교수와 상담을 하며 논문을 쓰다 보면 아무래도 국내에서 공부하는 것보다는 많은 면에서 해당 외국어에 노출되는 시간이 많아지기 때문에 외국어를 공부하는 데 여러 면에서 도움이 되는 것은 사실이다. 하지만 여기서 한 가지 짚고 넘어갈 것은 학문과 어학 능력의 제고는 별도의 노력이 필요한 별개의 문제일 수 있다는 것이다. 외국어를 공부한다는 것은 다양한 측면에서의 노력을 요하는 일이다. 많은 단어와 표현을 익혀야 할 뿐 아니라 읽고 쓰는 것 역시 별도의 시간을 투여해 장기간에 걸쳐 꾸준히 학습해야 한다. 하지만 유학 생활이라고 하는 것이 제한된 시간 안에 논문 준비하고, 그에 필요한 이런 저런 공부를 하다 보면 외국어 자체를 공부하는 데에는 그리 많은 시간을 할애할 수 없게 마련이다. 따라서 유학 생활을 하다 보면 자연스럽게 외국어 실력이 향상된다고 생각하는 것은 애당초 가당찮은 일이 될 것이며, 같은 맥락에서 유학을 갔다 오면 해당 외국어를 반드시 잘할 것이라 생각하는 것은 조금 가혹하게 표현하면 터무니없는 것일 수가 있다. 쉽게 말해서 자신이 따로 시간을 내 노력하지 않으면 유학 가서 논문을 쓰고 졸업을 하더라도 해당 외국어를 제대로 구사하지 못하는 경우가 있을 수도 있다는 것이다. 결국 외국어 공부는 어학연수든 유학이든 그저 해당 국가에 가기만 하면 저절로 되는 것이 아니라 안에 있든 밖에 있든 뼈를 깎는 노력에 의해서만 원하는 만큼의 발전이 있게 마련이다.[4] 오히려 문제는 그러한 현실보다는 베이징대학(北京大學)이니 난징대학(南京大學)이니 하는 간판을 중시하는 우리 사회의 잘못된 통념에 있는지도 모른다.

넷째, 'HSK'로 대표되는 점수 획득 위주의 학습 방식에 대한 재고다. 본래 '시험'은 "특정 기준을 달성했는가를 측정할 목적으로 학생의 학습 활동을 유도하는 하나의 방편이며 절차"[5]이다. 곧 시험 자체는 현실적인 수요에 의해 만들어진 것으로, 이를테면 회사에서 사원을 뽑을 때 지원자의 외국어 구사 능력을 제한된 시간 내에 일일이 점검하고 테스트하는 것이 애당초 어렵고 비용도 많이 들기 때문에 공인된 기관이 객관적이고 공정한 방식으로 사람들의 외국어 구사 능력을 검정하고 그에 따른 인증서를 부여하는 것이다. 문제는 이러한 점수 자체를 너무 절대화하다 보면 오히려 주객이 전도되어, 외국어를 배우는 목표가 해당 언어를 능숙하게 구사하는 데 있는 게 아니라 단순히 토익 점수나 HSK 등급을 올리는 데 몰두하게 되는 데 있다. 그러다 보면 잘 알려진 대로 토익 900점 이상의 고득점자

4) "일부 교사 중 환경에 대한 맹신의 사고를 전수하기도 한다. 예를 들면, '중국어는 현지에 가서 한 육개월만 하면 된다. 평소 크게 신경 쓰지 않아도 필요할 때 현지에서 하면 된다' 식의 주관적 견해로 학습자들이 환경에 지나치게 의존하는 심리를 조장하기도 한다.…… 성년은 어디에서 학습하건 자신이 반복 연습을 하여야만 성취되는 부분이 있다.…… 연수나 유학을 한 사람 중에서 환경만 과신하고 자신의 능동적 노력이 결여된 경우 성과가 크지 않거나 실패한다는 사실은 이미 여러 사례를 통하여 잘 알려진 사실이다." (맹주억, 「한어교학시소아과(漢語教學是小兒科)」, 『중국어 교육과 연구』 창간호, 한국중국어교육학회, 2005.8. 8쪽.)

5) 엄익상 외, 『중국어 교육 어떻게 할까』, 한국문화사, 2005. 271쪽.

가 정작 외국인을 만났을 때 영어 한 마디 못하고 토플 고득점자가 유학 가서 강의를 못 알아듣고 수업 시간 중 진행되는 토론에 참가하지 못하고 꿀 먹은 벙어리가 되는 일이 벌어지게 된다. 토익이니 HSK니 하는 것은 누군가의 외국어 구사 능력에 대한 잣대일 뿐 절대적인 기준은 될 수 없다. 과연 토익 850점을 맞은 사람은 800점을 맞은 사람보다 정확하게 50점만큼 영어를 잘하는 것일까? 물론 그나마라도 없을 경우 빚어질 혼란스러운 상황을 충분히 감안하더라도 우리가 외국어를 학습하는 목표가 시험 점수를 따는 데 있어서는 곤란하다.

언어의 궁극적인 목적은 상호 간의 의사소통이다. 그런데 인간은 다양한 방식으로 의사를 전달한다. 심지어 이심전심이라는 말도 있지 않은가? 회사의 예를 들면 한 사람의 업무 수행 능력을 따지는 데 언어는 중요한 요소 가운데 하나지만 거꾸로 그것이 전부가 되어서도 안 된다. 곧 외국어를 구사한다는 사실 말고도 자신이 맡은 업무 자체를 분석하고 수행해 나가는 추진력이라든가 주위 사람들과의 원만한 인간관계, 나아가 비즈니스 파트너와 효율적으로 일을 성사시키는 등의 능력도 외국어 실력 못지않게 중요한 것이다. 그런 의미에서 보자면 단순히 외국에서 학위를 받았다거나 토익 점수가 높다는 사실을 절대화하는 것은 참으로 위험한 발상이라 할 수 있다.

이상에서 살펴본 바와 같이, '실용주의 어학 교육'은 언어 자체에 중점을 두다 보니, 언어의 의미와 장을 지나치게 협소하게 만드는 경향이 있다. 얼마 전까지는 대부분의 언어학자들이 "어법 규칙을 강조하고, 형식언어를 중시하면서 언어 사용과 밀접한 관계가 있는 사회문화 요소는 홀시"하는 경향이 있었다. "그들은 언어의 기능을 정적인 것, 자족적 체계인 것으로 간주하여 사실상 언어를 사회존재로부터 분리해" 버렸던 것이다. 하지만 최근의 연구 경향은 이러한 '형식 언어'를 넘어서 '사회문화언어'로 관심사를 넓히는 데로 나아가고 있다. 여기서 말하는 '사회문화언어'란 "언어 교학이 단어를 중점으로 하던 것에서 문장을 중점으로 하는 것으로 옮겨갔는가 하면, 또 문장을 중점으로 하던 것에서 어단(語段)[어편(語篇)을 포함함. 이하 같음] 중점으로 전이"된 것을 의미한다.[6]

> 다시 말해서 언어는 구체적인 상황 혹은 문맥(語境) 속에서라야 비로소 살아 움직이는 것(活)으로 될 수 있다는 것인데, 이 살아 움직이는 것(活)이란 낱낱의 문장들이 가지고 있는 표면적 의미를 단순히 덧보태는 것이 아니라 어단 속에 이 민족 언어의 사회 문화적 배경이 반영된다는 것이다. 이를 혹자는 문화 의미라 한다.[7]

자오셴저우(趙賢州)는 여기서 한 걸음 더 나아가 모든 "언어는 어떤 경우에나 정경(情景)[물리적 문맥의 것, 물리적 환경의 언어, 언어적 환경의 언어-역자 주]이 아니면 어경(語境)[언어 문맥적인 것-역자 주]"으로 구분되며, 이때 "정경 언어는 담화 중인 쌍방이 동시에 주위의 모든 것을 감지해야만 그 함의를 알 수 있는 것"이고, "주위의 존재를 감지할 필요가 없이, 언어 자체나 상하문맥에 의해 의미를 이해할 수 있는 언어는 어경 언어에 속한다"[8]고 했다. 곧 우리가 외국어

6) 자오셴저우(趙賢州)(박영록 역), 「제 2언어 교학과 사회문화」, 『중국어 교육과 학습』, 청년사, 1992. 177쪽.

7) 자오셴저우(趙賢州), 앞의 글, 178쪽.

8) 자오셴저우(趙賢州), 앞의 글, 180쪽.

를 배울 때 단순히 발음을 익히고 단어와 표현을 외우며 어법을 이해하는 데 그친다면, 시험에서 좋은 성적을 거둘 수 있을지 모르나, 정작 현장에서 외국인과 의사소통(communication)을 하고 상호 교섭(interaction)을 하는 데 있어서는 실패할 수도 있게 된다.

한 나라의 언어는 단순히 조음기관을 통해 발화된 음성 신호에 그치는 것이 아니라 그 나라의 구성원이 오랫동안 축적해온 문화의 담체(carrier)라 할 수 있다. 이런 의미에서 그 나라의 역사와 문화를 이해하지 못하고 단순히 언어만을 학습하는 것은 반쪽 짜리 공부가 된다. 물론 이런 주장이 '형식 언어'를 학습하는 것이 전혀 무용하거나 불필요하다는 것을 의미하는 것은 아니다. 특히 초급 단계에는 이러한 '형식 언어'에 대한 학습이 무척 중요하다.[9] 하지만 중급이나 고급 수준에 오르게 되면 '형식 언어'에 대한 이해 못지않게 문화 교육이 필요하게 된다.

한때는 외국인을 만나 입도 벙긋하지 못하는 현실이 안타까워 언필칭 '실용'이라는 수식어를 붙여 외국인과 몇 마디 대화를 나누는 데 중점을 두고 외국어 학습이 이루어졌다. 이런 움직임이 한동안 대학을 지배하면서 일견 대학에서의 외국어 교육에는 어떤 변화가 일어난 것처럼 보이기도 했다. 하지만 결론부터 말하자면 이른바 '실용주의 어학 교육'으로 말미암아 학생들의 외국어 구사 능력은 오히려 퇴보하였다. "간단한 구문 몇 가지 익혀서 외국인을 만나 몇 분

9) 외국어를 가르치는 데에는 여러 가지 다양한 교수법이 있는데, 많은 학자들이 초급 단계에는 반복적인 '반응-자극(Stimulus-Response)'을 통해 이루어지는 '강화(Reinforcement)'를 강조하는 '청화식(Audio-Lingual Method)' 교육법과 아울러 '무턱대고 암기하는 것(死記硬背)'도 중요하다는 의견을 내놓고 있다. 물론 중급이나 고급 단계로 올라가게 되면 이런 '청화식' 교육법은 학습자에게 독이 될 수도 있다.

간의 대화를 할 수 있는 능력이 다행히도 생겼"는 지는 모르지만, "날씨나 취미 이야기 따위를 주고받을 줄 아는 것이 영어능력은 아니"기 때문이다.[10] 실제로 중문과 학생들의 경우 중국인을 만나 몇 마디 지껄이고 대화를 나누는 측면에서는 확실히 선배 세대들보다 나은 것처럼 보이지만, 중급 이상의 문장을 독해한다거나 작문을 하는 능력은 그렇지 못한 것이 현실이다.

> 영어가 모국어가 아닌 사람의 영어 구사력은 아무리 숙달된다 하더라도 한계를 가지게 마련이며, 모국어로서의 언어 사용자에 비해서 떨어지게 마련이다. 영어를 구사하는 기술로만 본다면, 우리는 영원히 모국어 구사자의 아래에 머물 수밖에 없다.
>
> ……
>
> 오히려 영어 구사력이 좀 떨어지더라도, 스스로에 대한 자존과 전문가로서의 식견 및 실력에서 나오는 어떤 당당함이 더 효과적인 경쟁력일 수 있다.[11]

이렇게 볼 때, 중국어 학습에서 공교육으로서의 대학 교육에서 감당해야 할 부분이 무엇인가 하는 것을 다시 생각해 볼 필요가 있다. 실제로 대학에서 이루어지는 중국어 학습은 무엇보다 절대적인 시

---

10) 윤지관, 『영어 내 마음의 식민주의』, 당대, 2007. 399쪽.

11) 윤지관, 앞의 책, 401쪽.
"최근 국내에서 피상적인 영어의 유창도만을 가지고 국제 관계를 담당할 고급 공무원들을 특채하는 제도가 시행되고 있는데 이는 다시 한 번 신중히 생각해 보아야 할 일이다. 미국에서 초등 교육도 제대로 못 받은 사람을 단순히 영어만을 할 줄 안다고 하여 외교관으로 임용하지 않는 것과 마찬가지로 우리나라에서도 단순한 영어 능력만을 가지고 국제 관계 전문 인력을 선발해서는 안 된다." (한학성, 『영어 교육, 어떻게 할 것인가?』, 서울: 태학사, 1998. 31쪽.)

간 부족으로 학생들이 요구하는 학습 수요를 충분하게 제공할 수 없는 한계가 있다. 일주일에 3시간씩 16주 수업에 중간시험과 기말시험을 빼고 중간 중간에 무슨 축제니 체육대회니 하는 등의 다양한 명목으로 휴강이 한두 번 끼어들면 실제로 이루어지는 수업 시간은 학생들의 요구 수준에 비해 턱없이 부족할 때가 많다. 그러다 보니 학생들은 학원을 다니거나 아니면 어학연수 등으로 부족한 학습 시간을 보충하게 된다. 이것을 시정하기 위해서는 대학의 커리큘럼 내에서 학습 시간을 좀 더 확보하는 등의 노력을 기울여야 하는데, 우리나라 대학의 여건으로는 무엇보다 경제적인 측면에서 한계가 있어 말처럼 쉽게 보완이 이루어지지 못하고 있다. 그렇기 때문에 우리나라 현실에서는 사교육 시장과 어학연수 등이 보조적인 역할을 할 수밖에 없는데, 필자는 어차피 그럴 바에는 대학에서는 사교육 시장이나 어학연수 등에서 배울 수 없는 것을 가르쳐야 하는 것은 아닌가 하는 생각을 갖고 있다. 그것이 바로 '문화 교육'이다. 앞서 말했듯이 중국어를 배운다는 것이 단순히 중국어 단어를 외우고 어법 지식을 쌓아 가는 것만을 의미하는 게 아니라면, 중국의 역사와 문화에 대한 지식[12]을 학생들에게 제공하는 것이야말로 대학에서 해야 할 일이 아닌가 하는 생각이 든다는 것이다. 그런 의미에서 필자는 우리의 중국어 교육도 기왕에 무비판적으로 이루어지고 있는 '실용주의 어학 교육', 곧 '실용 중국어'를 탈피해 '사회 문화적인 어학 교육', 곧 '문화 중국어'로 전환해야 할 필요가 있다고 주장한다.

---

12) 여기서 말하는 지식은 독서를 통해 간접적으로 얻는 지식과 여행이나 현지에서 생활하면서 얻는 체험적 지식을 모두 가리킨다.

3. 잘못된 인식들, 그리고 구체적 학습 목표 설정의 중요성

'실용 중국어'든 '문화 중국어'든 이에 대한 논란에 앞서 학습 주체의 입장에서 필요한 것은 왜 중국어를 배워야 하는지에 대한 자각이고, 교수자의 입장에서 필요한 것은 어느 계층의 사람들에게 어떤 용도의 중국어가 필요한지에 대해 정확하게 수요를 파악하는 일이다. 그저 막연하게 미래에 대한 준비를 위해 언제 써먹을지 알 수도 없는 외국어를 많은 돈과 시간을 들여 배우는 것은 국가적으로나 개인적으로나 낭비가 된다. 그런데 필자가 과문한 탓인지는 모르겠으나 외국어를 배우는 일이 중요하다는 것을 강조하는 것만큼 이에 대한 정확한 수요 파악과 예측에 대한 조사가 이루어진 것을 본 적이 없다. 오히려 상업적인 목적으로 터무니없이 부풀려진 외국어 학습의 중요성으로 말미암아 사회에 팽배해 있는 것은 외국어에 대한 사람들의 막연한 동경과 불안감이다.[13] 뭔가 외국어를 하나쯤 하지 않으면 안 될 것 같은 불안한 심리 때문에 너도나도 외국어를 배우겠다고 나서는데, 정작 자기가 배우는 외국어를 언제 어떻게 써먹게

13) 그런 의미에서 보자면, 우리나라에서 영어의 중요성의 강조하며 온 국민이 영어를 잘해야 하는 것처럼 떠들어대는 사람들의 경우 그 이면에 다른 의도를 감추고 있는 것은 아닌가 하는 생각을 해보게 된다. 한때 영어공용어화를 사회적 의제로 내세웠던 조선일보의 경우, 그 시점이 공교롭게도 그들이 서울대와 이익훈어학원과 함께 TEPS를 개발해 출시했던 시점과 일치했던 일이 있었다. 우스운 것은 조선일보 측이 TEPS에서 손을 떼고 난 뒤에는 영어공용어화론이 더 이상 조선일보의 관심을 끌지 못했다는 사실이다. 우리나라에서 영어는 하나의 산업이라 일컬을 정도로 큰 시장을 형성하고 있는데, 이 말은 영어로 밥을 먹고 사는 사람이 많다는 것을 의미한다. 여기에서 영어 교육의 역설이 성립된다. 사교육 시장에서 영어 교육에 종사하는 사람들은 모든 사람들이 영어를 잘하는 것을 목표로 내걸지만, 실제로는 그렇게 되는 것을 원치 않는다. 왜냐하면 모든 사람들이 영어를 잘하게 되면 그들의 밥줄이 끊어지기 때문인데, 이것은 질병이나 분쟁과 같은 남의 불행 덕분에 밥을 먹고 사는 의사나 변호사 등과 같은 직업과 다를 바 없다.

될지 알 수 없는 상황에서 어쩌다 마주친 외국인에게 길을 가리켜주게 되기만을 기다리는 경우가 허다하다. 물론 백 번을 양보해 사람이 살아가면서 어찌 모든 일을 계획한 대로, 예측한 대로만 살 수 있겠나 하는 생각이 들면서도 모든 사람이 외국어 공부에 광분하는 것은 나무 기둥 앞에서 토끼를 기다리는 송나라 사람의 경우(守株待兎)와 다를 바 없다는 생각을 금할 길 없다.[14)]

이렇게 막연한 학습 목표뿐 아니라 더 문제가 되는 것은 너무 높게 잡은 학습 목표다. 흔히 외국어를 공부하는 사람은 궁극적으로는 흔히 말하는 네이티브 스피커처럼 자유롭게 외국어를 구사하는 것을 목표로 하는데, 결론부터 이야기하자면 어느 정도 나이가 들어 외국어를 배우는 경우 네이티브 스피커 운운하는 것은 애당초 불가능하다. 자기가 태어나서 첫 번째로 배운 언어(L1, First Language)가 아닌 다음에야 어느 외국어든 배우기 어려운 것은 매일반이다. 이것은 실제로 구체적인 연구 결과에 의해서도 드러난다. 곧 "외국어로 적절히 의사소통할 수 있는 능력을 갖추기 위해서는 적정 언어환경에 약 4천 시간 이상 노출되어야 한다는 연구결과가 있다"[15)]는

14) 작금의 한국 사회 일각에서 일고 있는 '영어 공용어화'니 '영어 몰입 교육'이니 하는 등등의 논의들은 국제화시대에 대처하기 위해 영어를 배워야 한다고 부르대고 있다. 하지만 국제화시대에 대처하기 위해 어떤 분야에 어떤 부류의 인재들이 필요한가 라는 각론적 수준에서 구체적인 실행 방안을 마련하지 않고 막연히 영어가 중요하니 온 국민이 영어를 공부해야 한다고 주장하는 것은 공연한 국력 낭비에 지나지 않는다. 그들 주장대로 우리나라 사람들이 영어를 못해 외국 관광객들이 찾아오지 않는다면 해마다 진시황 병마용이 있는 시안(西安)이나 유명한 모가오쿠(莫高窟)가 있는 둔황(敦煌)에 전 세계에서 관광객들이 몰려오는 것은 어떻게 설명해야 할까? 과연 중국 사람들은 우리나라 사람에 비해 뛰어난 영어 실력을 갖고 있어서 그런 것일까?

15) 한학성, 『영어 공용어화, 과연 가능한가』, 서울: 책세상, 2000. 106쪽.
혹자는 독해의 경우 원서를 4천 페이지 정도 읽어야 한다는 주장을 펴기도 한다.

것이다. 이것은 산술적으로 볼 때, 하루에 2시간씩 영어를 공부한다면 약 6년, 그리고 좀 더 현실적으로 하루에 1시간씩 꾸준히 한다고 할 때 약 10년이라는 세월이 소요된다. 하지만 이것은 조금 비현실적인 학습 목표인지도 모른다. 그것은 하루에 1시간 동안 영어를 공부한다는 것은 그 자체로는 별 게 아니지만, 1년 365일을 거르지 않고 매일 하는 것은, 나아가 이렇게 하기를 10년을 한다는 것은 누구에게나 불가능한 일일 수 있기 때문이다. 하지만 어쩌겠는가? 현실에서 경험한 바로는 이것이 현실이라는 것을 부인할 수 없을진대. 현실이 그러하다면 공연한 욕심을 버리고 오랜 기간 동안 꾸준하게 공부해야 할 생각부터 해야 할 것인데, 오히려 실제로는 이런 저런 이유로 공부를 게을리 하면서 목표는 터무니없이 높게 잡고 있다. 이러니 외국어 공부가 힘들고 맥이 빠지는 것은 당연지사가 아니겠는가?

이렇게 말하면 일각에서는 외국어 '몰입 교육'의 필요성을 주장하기도 한다. 물론 외국어를 배우는 데 흔히 말하는 '언어 환경'이 중요하게 작용하는 것은 사실이다. 앞서 말한 바와 같이 4천 시간을 채우려면 그만큼 해당 외국어에 노출되는 시간이 많을수록 유리하게 마련이다. 문제는 우리의 현실적 여건상 이것이 가능하지 않다는 데 있다. 보통 사람들의 경우 1년 내내 외국 사람과 접촉할 기회가 그리 많지 않은 것은 차치하고라도 필자 개인의 경우를 놓고 봐도 실제로 그 동안 영어 공부에 쏟은 시간과 정열, 나아가 비용 측면에서 보더라도 누구 못지않게 많은 투자를 했다고 생각하는데, 정작 영어를 구사할 일은 그리 많지 않은 게 사실이다. 그래서일까? 우리나라 사람들이 영어를 못하는 것은 영어를 못해도 불편함을 느끼지 않기 때문이라고 주장하는 사람도 있다.[16] 우리나라는 다른 언어를 사용하는 다민족 국가도 아니고 모어인 한국어만을 사용한다고 해서 일상생활에 큰 불편함이 있는 것도 아니다. 결국 우리가 영어를 못하는 것은 현실 생활 속에서 구체적인 동기 부여가 되지 않기 때문인지도 모른다. 나아가 백 번을 양보해 영어가 필요해 영어 교육을 강화해야 한다 하더라도 여전히 문제는 남는다. 그것은 과연 누가 이 어리석은 백성들을 가르칠 것인가 하는 문제인데, 어찌 보면 우리나라 사람들이 영어를 못하는 이유는 다른 데 있지 않고 유능한 영어 교사가 없기 때문이 아닌가 하는 생각이 들기도 한다.

> 이렇게 말로서의 영어 및 글로서의 영어를 동시에 교육하며, 수동적 이해 기능 및 능동적 표현 기능을 동시에 함양시키는 소위 총체적 접근을 하기 위해서는 무엇보다도 교사들의 충분한 영어 구사 능력이 선행되어야 한다. 이렇게 보면 우리나라 영어 교사들의 대부분은 대학 입시를 핑계로 하여 영어를 적당히 읽고 번역하는 식으로 가르치면서 자신들의 빈곤한 영어 구사 능력을 감추고 있는 셈으로, 말 및 능동적 표현 기능을 함양시키지 못하는 절름발이 영어 교육의 1차적 책임은 무능한 영어 교사들에 있다고 하여도 지나치지 않을 것이다.[17]

그러니 비록 '영어 공용어화'가 정부의 시책의 하나로 시행된다 하더라도 바뀌는 것은 별로 없을 것이다. 그런 시책이 공포된다 해도 결국 문제는 어떻게 영어를 공부하는 게 될 터인데, 정부 시책만 발표됐을 뿐 그것을 뒷받침할 만한 구체적인 실행 방안은 전혀 없기

16) 송승철, 앞의 글, 144쪽.

17) 한학성, 『영어 교육, 어떻게 할 것인가?』, 서울: 태학사, 1998. 56쪽.

때문이다. 여기서 무슨 시책을 발표하면 그에 따라 현실이 바뀔 것이라 생각하는 일부 사람들의 무지함에 대해 논의할 시간적 여유는 없다. 다만 그것과 무관하게 진정으로 온 나라 사람들의 영어 실력을 제고하고자 한다면 그를 위해 유능한 영어 교사 10만 명을 양성하는 것이 무엇보다 시급한 문제라는 것만 지적하고자 한다. 안타까운 것은 애당초 터무니없는 목표를 설정하고 조급증에 빠져 허둥대느라 비용 대비 효과라는 측면에 대해서는 아무도 깊이 생각하지 않고 있다는 것이다.

> 우리나라 영어 교육의 문제는 일반 국민들에게는 터무니없이 많은 영어 기능을 요구하면서 영어 전문인들-즉 영어 교사들과 영어 전공자들 등-의 영어 기능 보유 자체는 별로 심각하게 생각하지 않음으로써 국민들이 낮은 품질의 영어 기능을 터무니없는 높은 가격으로 사는 일이 반복되어 온 데 있다고 할 수 있다.[18]

그러므로 결국 무슨 정부 시책 등을 만들어 인위적으로 영어 학습의 동기를 부여하는 게 중요한 것이 아니라 오히려 영어를 제대로 가르칠 수 있는 유능한 교사를 육성하는 일이 무엇보다 시급하게 요청된다고 할 수 있다.[19]

이것이 어찌 영어의 문제뿐이겠는가? 중국어의 경우도 크게 다르지 않다. 중국어는 영어에 비해 여러 가지로 여건이 더 열악하다고

18) 한학성, 앞의 책, 40쪽.

19) "우리의 경우는 영어 전문 인력 양성 기능은 오히려 대단히 후진적이면서도 마치 한국인 모두가 영어를 잘 해야 하는 것 같은 착각 속에서 국가가 운영되어 왔기 때문에 필요한 영어 전문 인력도 양성해내지 못하면서 국가적으로는 영어와 관련하여 엄청난 낭비를 계속해 왔다." (한학성, 앞의 책, 18쪽)

할 수 있는데, 그것은 중국어의 교수와 학습이 본격적으로 시작된 것이 그리 오래지 않았고, 사람들의 관심 또한 영어에 비해 부족했기 때문이다. 중국어 교육이 하나의 학문 분야로 분화한 것도 얼마 되지 않았거니와 이에 대한 이해 부족으로 아직까지도 우리나라에서는 중국어 교육이 제대로 뿌리를 내리고 있지 못한 실정이다.[20] 맹주억은 중국어 교육이 경시되어 온 원인으로 중국어 교육에 대한 다음과 같은 몇 가지 그릇된 인식과 태도를 들었다. 그것은 첫째, 중국어 교육은 간단하고 쉽다는 것이고 둘째, 중국인 또는 한국인이 중국어로 의사소통이 가능하면 중국어를 가르칠 수 있다는 것이며 셋째, 중국어 교육을 하나의 독립된 학문 분야로 인정하지 않는 것이고 넷째, 중국어 강의를 자신의 전공이나 개인적 관심사를 중심으로 진행하는 것이며 마지막으로 중국어를 반드시 현지에서 공부해야 한다는 이른바 '언어 환경'에 대한 지나친 맹신이다.

맹주억이 지적한 문제 가운데 "중국인 또는 한국인이 중국어로 의사소통이 가능하면 중국어를 가르칠 수 있다"는 것은 작금의 중국어 교육에 대한 일반 사람들의 인식을 그대로 보여주는 사례라 할 수 있다. 이러한 생각은 일견 타당한 것 같지만, 실제로는 그렇지 않다는 것이 많은 연구자들에 의해 밝혀지고 있다. 중국어를 말할 수 있

20) 박용진은 「중국어 교육 분야에 대한 제 문제 토론」(『2005년도 중어중문학 연합학술대회 중어중문학 교육의 이론과 실제 발표논문집』)에서 우리나라에서는 몇 가지 사례를 통해 볼 때 중국어 교육이 중국어문학의 한 학문분야로 인정을 받고는 있으나, 아직 구체적인 하부 구조는 없다고 보았다. 맹주억은 「한어교학시소아과(漢語教學是小兒科)」(『중국어교육과 연구』, 창간호, 중국어교육학회, 2005.8)라는 논문에서 중국어 교육의 특수성과 전문성을 잘 대변해주고 있는 '小兒科'라는 단어의 파생적 의미를 통해 중국어 교육에 대한 그릇된 인식 및 태도를 설파하면서 앞으로의 중국어 교육은 한국인의 관점에서 학문으로서 중국어 교육학의 이론을 정립하고, 실제 교육 현장에서의 실천으로 상호 조화를 이루며 발전해야 한다고 주장했다.

다는 것과 중국어를 제2언어로 학습하는 이들을 가르치는 것은 전혀 별개의 일인 것이다.

> 중국어 교육에서 중국어를 잘 한다는 것은 매우 중요하고 필수적인 조건이나, 중국어를 할 줄 아는 것은 가장 기본이며 전제가 되는 조건을 갖춘 것에 불과한 것이지 충분조건을 갖춘 것은 아니다. 중국어를 잘 하는 것 이외에도 중국어 교사로서 갖추어야 할 소양이 있다. 이 소양은 외국어 교육에 관한 이론 지식, 일반 언어학 지식, 중국 언어학 지식, 중국 문화에 대한 배경 지식 및 현장 교육의 능력 등을 포함한다.[21]

국어 교육을 하나의 독립된 연구 분야로 인정해야 하는 이유 또한 이 문제와 무관하지 않다. 나아가 이 문제와 연관해 한 가지 지적해야 할 것은 원어민 교사에 대한 맹신이다. 외국어를 교수할 때 원어민 교사를 활용하는 일은 적극 권장해야 할 일이고, 반드시 필요한 일이기도 하다. 문제는 원어민 교사가 만능이고, 그런 의미에서 모든 것을 원어민 교사에게 의지하려는 태도이다. 이런 식으로 원어민 교사를 맹신하는 일은 무책임할 뿐 아니라 극히 위험하기까지 하다.[22] 그렇기 때문에 원어민 교사를 활용할 때는 다음의 몇 가지 사항을 주의해야 한다.

> 우선 소위 미국 등지에서 온 원어민들 중에는 교사로서 소양을 갖추지 못한 사람들이 상당수 있으며 이들을 자격 있는 원어민과 구별해 내는 일이 대단히 중요하다.

---

21) 맹주억, 앞의 글, 6쪽.
22) 한학성, 앞의 책, 107쪽.

> 둘째, 일단 교사로서의 자격이 있는 원어민이라 하더라도 한국인에게 영어를 가르치는 일은 다른 형태의 경험이므로 한국인이 영어의 발음, 문장 구성, 표현 등과 관련하여 겪는 어려움 및 문화적 차이에서 오는 어려움 등을 최소화하도록 원어민을 교육하는 일이 필요하다.
>
> 마지막으로 영어 프로그램 책임자는 원어민이 지정된 내용이나 수준에 맞게 영어 회화 수업을 이끌고 있는지를 철저히 감독하여야 한다.[23]

특히 두 번째 문제는 우리에게 시사하는 바가 크다. 어떤 언어를 제2언어로 학습하는 이의 경우 발음이나 어순 등에서 제1언어인 모어의 간섭을 받게 된다. 그런데 원어민 교사의 경우 이런 문제에 대해 전혀 무지하거나 소홀하게 여기는 경우가 있다. 이것과 연관해 필자가 개인적으로 잘 알고 있는 영어 강사에게 들은 이야기가 있다. 한번은 오랫동안 한국에서 영어를 가르쳐 온 유명한 원어민 강사가 그에게 자기는 원어민 강사로 그보다 영어를 잘하는데도 왜 학생들이 그만큼 많지 않은지 물었다. 한국인 강사는 원어민 강사에게 당신은 교재를 만들 때 한국 사람들이 들리지 않는 부분이 뭔지 모르기 때문에 교재에 공란, 곧 블랭크(blank)을 만들 수 없지 않느냐고 되물었다. 한국인 강사의 수업 방식은 드라마 등에서 스크립트를 따서 교재를 만들어 한국 사람들이 못 듣고 넘어갈 만한 곳을 공란으로 만들어 놓은 뒤 수업 시간에 학생들과 같이 드라마를 보면서 공란 부분을 채워 넣는 것이었다. 한국 사람들은 드라마를 보면서 잘 들리는 곳도 있고 전혀 들리지 않는 곳도 있지만 드라마 속의 내

---

23) 한학성, 앞의 책, 108쪽.
"원어민 교육은 그 목적과 적용 범위를 진지하게 검토해야 한다." (김진만, 「영어 교육에 대한 몇 가지 사견」, 윤지관, 앞의 책, 202쪽.)

용을 모두 알아듣는 원어민 강사로서는 한국 사람들이 어떤 부분이 들리지 않는지 전혀 알 길이 없으니 공란을 만들 수 없는 것은 너무도 당연한 것이었다. 한국인 강사에게 학생들이 더 몰린 것은 한국인 강사는 한국 사람이 가려운 부분을 적절히 긁어줄 수 있는 반면에 원어민 강사는 그렇지 못했기 때문이다.[24] 하지만 당연하게도 이것은 물론 일면적인 인식에 불과하다. 여기서 이런 예를 든 것은 원어민 강사가 전혀 쓸모없다는 것이 아니라 앞서 말한 바와 같이 원어민 강사를 적절한 상황에 적절한 방식으로 활용해야지 무조건 맹신하는 것은 곤란하다는 것을 강조하기 위해서이다. 한편 어학연수와 유학으로 대변되는 '언어 환경'에 대한 맹신 역시 외국어 학습자가 버려야 할 것인데, 이에 대해서는 앞서 상론하였으므로 여기서는 다시 논의하지 않겠다.

결국 중요한 것은 주체의 문제로 돌아온다. 그저 흔히 말하는 국제화 시대에 외국어 하나 정도는 해둬야지 하는 막연한 생각으로 외국어를 배우겠다고 나서는 일은 시간적으로나 금전적으로 낭비적인 요소가 많아지게 마련이다. 어차피 "영어는 외국어이기 때문에 한국인 모두가 영어를 유창하게 구사하려고 노력할 필요가 없"고 또 현실적으로도 애당초 불가능한 일이다. 그렇기 때문에 "외국어는 관심 있는 해당 외국어 전문 인력 양성 기관을 통해 적절히 양성해 내면" 된다는 주장이 설득력을 얻게 된다.[25] 이런 맥락에서 외국어 교수법을

---

24) "학습자들에게 오르지 못할 나무를 보여주는 원어민 교사보다는 나도 저렇게 될 수 있겠구나 하는 현실적 도달 목표를 보여주는 내국인 교사가 더 바람직하다." V. Cook, "Going beyond the native speadker in language teaching", TESOL Quaterly 33, 1999. pp. 185~209. 윤지관, 앞의 책, 225쪽에서 재인용

25) 한학성, 앞의 책, 18쪽.

연구하는 많은 학자들은 학습자나 교수자가 외국어 학습의 목표를 좀 더 구체적으로 세울 것을 주문하고 있다. 그것은 한 나라의 언어를 후천적인 학습에 의해 습득[26]하는 것은 굉장히 많은 시간과 노력을 요하는 것이기 때문에 처음부터 실현 불가능한 목표를 설정할 게 아니라 구체적으로 자기가 필요로 하는 목적을 분명히 하고 그것에 알맞은 학습 계획을 수립하라는 것이다.[27] 이것은 교수자의 입장에서도 마찬가지인데, 이를테면 "일반적인 상식과 교양 증진의 목적에 근거한 영어 교육"을 할 것인지, 그렇지 않으면 "전문화, 세분화되고 실용성 있는 영어 교육"을 할 것인지를 구분해야 한다.[28] 구체적으로는 영어를 예로 들자면, '과학 기술을 위한 영어(English for Science and Technology)', '직업 목적을 위한 영어(English for Occupational Purposes)', '학문 목적을 위한 영어(English for Academic Purposes)', '교육 목적을 위한 영어(English for Educational Purposes)' 등과 같이 학습자의 기능적, 실용적 요구에 근거해 의사소통 활동과 언어 기능에 역점을 두는 게 그것이다.[29]

---

26) '학습'과 '습득'의 차이에 대해서 크라센은 다음과 같이 설명했다. "'습득'은 마치 어린 아이의 모국어 습득 과정과 같이 자연적인 상황에서 무의식적으로 배우는 과정을 말하며, '학습'은 의식적인 것으로서 언어 규칙을 인지, 기억하고 설명할 수 있게 되는 과정"이다. (엄익상 외, 앞의 책, 119쪽)

27) "무조건 '영어의 바다에 빠지기'보다는 잘 선택된 25미터 풀장에서 수영을 배우는 것이 영어구사력이라는 목숨을 보전하는 데 훨씬 유리하다는 점을 꼭 기억해야 한다." (박찬길, 앞의 글, 238쪽.)

28) 배두본, 『외국어 교육 과정론』, 한국문화사, 2000. 58쪽.

29) 배두본, 같은 책, 58쪽.

4. 맺음말

중국어는 최근 몇 년 사이에 주요한 외국어의 하나로 부상했다. 하지만 과연 우리 학계가 점증하는 중국어 수요에 적절하게 대비했는지에 대해서는 회의적이다. 예전에는 중국어 교재가 없어서 공부를 못 했던 시절도 있었는데, 요즘은 서점의 서가를 가득 채운 교재들 가운데 어느 것을 골라야 할지 모를 정도로 많은 교재가 말 그대로 쏟아져 나오고 있다. 하지만 찬찬히 들여다보면 그렇게 많은 교재들이 대부분 중국의 대학 출판사에서 펴낸 것을 번역한 것이거나 기왕에 나온 몇 가지 교재를 다시 짜깁기하여 엮어낸 것에 지나지 않는다는 것을 알 수 있다. 중국과 수교 직후인 1990년대만 하더라도 그런 일이 어느 정도 용인되었는지 모르겠으나 그 이후 폭발적으로 늘어난 연구자의 숫자 등 여러 저간의 사정을 고려할 때 이제는 우리 식의 중국어 교재가 나와야 하는 것은 아닌가 하는 생각을 지울 길 없다. 일이 이 지경에 이르게 된 데는 관련 분야에 종사하는 연구자들의 무사안일과 무신경한 대응이 큰 몫을 했고, 현재도 하고 있다는 게 필자의 생각이다. 전임 교수들은 출판사의 요구나 부탁에 따라 자기가 데리고 있는 대학원생을 시켜서 중국에서 나온 교재를 적당히 번역해 넘기는 게 하나의 관행처럼 이루어지고 있다. 아마도 전공하는 연구자 숫자로는 중국을 제외하고는 세계에서 첫 번째나 두 번째를 다툴 정도인데, 연구의 질적 수준을 떠나 우리 현실에 맞는 중국어 교재 하나 만들어내지 못하고 있는 것이다. 이 자리를 빌어 중국어 교육 관련 전공에 종사하고 있는 연구자들의 분발을 강력하게 촉구한다.[30]

사실 중국어 교재 문제는 앞서도 지적한 바 있는 중국어 수요에 대한 정확한 조사 검토가 이루어지지 않고 있는 데 더 큰 문제가 있는지도 모른다. 돌아보면 막연히 중국어를 배우고자 하는 사람들이 점차 늘고 있다는 생각에 기대 어떻게 보면 출판사의 상업적 고려만 앞세워 당장 돈이 되는 쪽으로 움직여 나갔거나 손쉽게 자신의 업적을 쌓을 수 있는 방편으로 이용한 것은 아니었는지 되묻게 된다. 우리의 실정에 맞는 중국어 교재가 없다는 것은 곧 우리 현실을 적극 반영한 중국어 교수법이 없다는 것을 의미하기도 한다. 한국어의 음운적 특성과 어휘, 어법, 그리고 문화적 차이 등을 고려한 중국어 교수법을 개발하는 일 역시 시급하게 요청되는 것 가운데 하나이다. 이런 식으로 도대체 누가 무엇을 위해 중국어를 배우는지에 대한 구체적인 수요 파악이 이루어지지 않은 상태에서 주먹구구식으로 중국어를 가르쳐 왔기 때문에 우리의 중국어 교육은 전체적인 시장 규모에 비해 초보적인 수준에 머물러 있는지도 모른다.

한편 앞서 필자는 한 동안 대세를 이루었던 '실용주의 어학 교육'에 대해 비판적으로 검토하면서 이제는 '실용 중국어'에서 '문화 중국어'로 전환해야 한다는 주장을 한 바 있다. 이것은 우리 중국어 교육의 목표를 단순히 기능적인 차원에서 중국어 단어 몇 개를 외우고 중국어 표현 몇 개를 익히게 하는 것에서 탈피하여 중국 문화를 폭

30) 대표적인 중국어 능력 검정시험인 HSK 응시자 숫자만 놓고 보더라도, 2002년도에 이미 우리나라 응시생 수가 세계 나머지 국가의 응시생 수를 넘어섰다고 한다(엄익상, 앞의 책, 4쪽). 우리나라는 HSK의 세계 최대 시장인 것이다. 하지만 우리가 중국 측으로부터 그에 걸맞는 대접을 받고 있는가 하는 점에서는 저윽이 회의적이다. 이 모두가 우리나라 관련 학계 연구자들이 안이하게 대처했기 때문이라는 게 필자의 생각이다.

넓고 깊이 있게 이해하는 중국 전문가를 양성하는 것으로 전환해야 한다는 것을 의미한다.

> 지금 한국사회가 요구하는 인재는 단순한 언어 가능자가 아니다. 중국어 능력을 바탕으로, 중국 사회를 거시적이면서 객관적으로 바라볼 수 있는 시각을 키우고, 중국인의 기질과 문화를 실감 있게 이해할 수 있는 현장성을 축적하여, 중국에 관한 제 분야의 일을 전문적으로 기획하고 실천할 수 있는 인재이다. 이러한 인재가 바로 우리 시대가 요구하는 중국전문가이다.[31]

많은 언어학자들이 언어가 단순히 조음 기관을 통해 소리로 발성되는 것만을 의미하지는 않으며, 각각의 언어를 사용하는 언중(言衆)의 역사와 문화가 녹아 있기에 하나의 언어를 학습한다는 것은 이 모든 것을 아우르는 것을 의미한다고 주장하고 있다. 따라서 중국어 교육이 단순히 중국어 표현 몇 개를 배우는 데 머무는 "중국어 지상주의적 학습법"[32]에 치중해서는 안 된다. 언어 학습의 궁극적인 목표는 해당 언어를 통해 상대방과 대화를 나누고 의사소통을 하는 것이다. 문제는 대화의 내용인데, 이것은 단순히 언어 표현의 문제가 아니라 대화 당사자가 갖고 있는 지식과 교양 수준에 달려 있는 문

---

31) 이종민, 『글로벌 차이나』, 부산: 산지니, 2007. 293쪽.

32) "그러나 기업체의 인력 채용심사에 있어 어학 능력이 절대적 기준이 아니며 중국에 대한 전문적 지식과 잠재력을 선호하는 사례를 볼 때, 중국어 지상주의적 학습방식은 심각한 문제라고 하지 않을 수 없다. 이러한 현상은 중국 전문인재에 대한 개념과 구비해야 할 덕목에 대한 인식이 선행되지 않아서, 대학 4년 동안 어떠한 공부를 해야 하는지 막막하고 불안한 상태에 놓여 있기 때문이다. 이 점이 바로 중국 전문인재에 대한 사회적 수요에도 불구하고 졸업 후 적합한 진로를 찾지 못 하게 되는 공부 방법의 문제라고 할 것이다." (이종민, 앞의 책, 292쪽.)

제라 할 수 있다. 사실 중국어 교재에 나와 있는 표현들만을 죽어라 외운 사람들은 막상 중국 사람을 만나 대화할 때 자기가 알고 있는 표현들을 모두 쏟아낸 다음에는 정작 할 말이 없게 된다. 하지만 중국어 표현 능력은 조금 딸리더라도 중국에 대한 풍부한 지식을 갖고 있는 사람은 끊임없이 대화를 이어나갈 수 있다. 이렇게 볼 때 우리가 추구하는 중국어 교육의 목표는 자명해진다. 그것은 단순히 중국어 학습과 교수가 '형식 언어'의 차원에 머물러서는 안 되고, 중국에 대한 다면적인 이해를 바탕으로 한 '사회문화 언어' 능력을 제고하는 데 그 초점이 맞추어야 다변하는 현실적 요구에 제대로 대처할 수 있는 능력을 기를 수 있다는 것이다.

> 중국어 중심주의적 방법으로 중국 공부를 계획하는 학생들은 먼저 자신이 처한 국내적 국제적 환경의 변화를 직시할 필요가 있다. 그리고 중국어를 공부하기에 앞서 자신이 왜 중국어를 공부하려고 하는지 그리고 중국을 통해 자신의 어떠한 삶을 실현하려고 하는지 자문해야 한다.[33]

『중국어문학론집』 제16호, 서울: 중국어문학연구회. 2001.2.

33) 이종민, 앞의 책, 293쪽.

중국어 한글표기법 논의를 바라보는 한 시각

– 왜 '원음주의'인가

1. 무엇이 문제인가?

2008년 5월에 열린 중국어문학연구회 第79회 정기학술발표회에서는 '중국어 한글 표기법'을 주제로 몇 편의 논문이 발표되었고, 이에 대한 토론이 진행되었다. 그 자리에 참석했던 많은 사람들은 이미 이전에 개인적으로 발표된 논의들을 어느 정도 알고 있었기에 발표에 나선 논의의 당사자들이 상대방을 설득해 어떤 타협점을 찾아 중국학계를 대표하는 통일안을 만들어내는 것이 쉽지 않을 것이라는 점을 충분히 알고 있었다. 나아가 이 문제는 중국학에 몸담고 있는 사람이라면 누구나 저 나름의 의견을 갖고 이러저러한 처방법까지 제시할 수 있는 중국학계의 현안 중의 현안이라 할 수 있다. 문제는 이제까지 이런 생각들이 상대방을 의식하지 않고 개인적인 차원에서 '천상천하 유아독존' 격으로 분출되어 왔다는 데 있다. 아울러 많은 사람들이 저 나름대로 갖고 있는 생각이라는 것도 엄밀한 분석과 검증을 거치지 않은 억견(臆見)에 지나지 않는 것인지도 모른다. 그런 의미에서 지난번 학술발표회는 비록 어떤 합의점을 찾아내지는 못했지만, 여러 연구자들이 한 자리에 모여 자신의 견해를 드러내고 상대방의 의견을 들어보는 최초의 시도였다는 데서 그 의의를 찾을 수 있다.

여기서 기왕에 발표된 글들[1)]을 일별하면 논점은 대개 다음의 두

1) 이 문제에 대해 이미 발표된 글들은 다음과 같은 것들이 있다.
김용옥, 최영애, 「최영애 김용옥 표기법 제정에 즈음하여」, 『동양학 어떻게 할 것인가』, 서울: 민음사, 1985.
엄익상, 「중국어 한글 표기법의 문제점과 개선 방안」, 『중국언어연구』 제4집, 1996.
심소희, 「한글-중국어 병음 체계의 연구」, 『한글』 245호, 1999.
전광진, 「중국어 자음의 한글 표기법에 대한 음성학적 대비 분석」, 『중국문학연구』 19집, 1999.
김영만, 「현대 중국어의 한글 표기: 현황과 개선 방안」, 『제34회 어학연구회 논문요지』, 서울대 어학연구소, 2000
김태성, 「중국어 한글 표기법에 관하여」, 『중어중문학』 27집, 2000.
맹주억, 「중국어 교육용 한글 표음 방안」, 『디지털 세대를 위한 중국어 교육』(한국중국언어학회, 한국중등중국어교육연구회, 한국중국어교육학회 연합 학술발표회 논문집), 2000.
임동석, 「중국어(漢語) 한글 표기의 실제와 문제점 연구」, 『중국어문학논집』 13호, 2000.
원종민, 「대만 민남어의 한글 표음방안」, 『중국언어연구』 13집, 2001.
배재석, 「Cyber 상의 중국어 표기법 연구」, 『중국어문학논집』 19호, 2002
엄익상, 「중국어 한글 표기법 재수정안」, 『중어중문학』 31집, 2002.
장호득, 「중국어 한글 표기법의 원칙과 한계」, 『중국어문논역총간』 11집, 2003
엄익상, 「왜 다시 중국어 한글 표기법인가?」, 한국중국언어학회 학술발표회, 2003
김희성, 「한국어 滑音을 활용한 중국어 표기법 연구」, 연세대학교 중어중문학과 석사논문, 2008.2
엄익상, 「현행중국어 표기법을 바꾸어야 할 이유」, 『중국어문학연구회 제79회 정기학술발표회논문집』, 중국어문학연구회, 2008.05.
신아사, 「중국어 한글 표기법에 대하여 운모 부분을 중심으로」, 『중국어문학연구회 제79회 정기학술발표회논문집』, 중국어문학연구회, 2008.05.
김희성, 「한국어 활음(滑音)을 활용한 중국어 표기법 연구」, 『중국어문학연구회 제79회 정기학술발표회논문집』, 중국어문학연구회, 2008.05.
서미령, 「중국어의 실용적인 한글 표기법 소고」, 『중국어문학연구회 제79회 정기학술발표회논문집』, 중국어문학연구회, 2008.05.
강혜근, 「중국어 한글 표기법에서 고려되어야 할 문제와 표기 방안」, 『중국어문학연구회 제79회 정기학술발표회논문집』, 중국어문학연구회, 2008.05.

가지로 귀납된다.

첫째, 굳이 중국어를 원음으로 표기해야 할 필요가 있나?
둘째, 원음으로 표기한다면 어떻게 해야 하는가?

첫 번째 질문은 이 논의에 대한 근본적인 문제 제기라 할 수 있다. 그것은 한자로 표기된 인명이나 지명 등을 굳이 중국어로 읽을 필요 없이 우리 한자음으로만 읽기로 하자는 데 중의가 모아진다면, 애당초 이를 둘러싼 여러 논의들은 의미가 없을 것이기 때문이다. 뒤집어 이야기하면, 두 번째 문제 제기는 중국어를 한글로 표기해야 하는 것을 암묵적으로든 명시적으로든 동의하는 것을 전제로 해야 성립이 된다는 것을 의미한다.

두 번째 질문은 방금 이야기한 대로 중국어를 한글로 표기해야 한다는 주장을 바탕으로 그렇다면 어떻게 해야 하는지에 대해 초점을 맞추고 있다. 곧 이것은 음운론적 차원에서 중국어와 한국어의 같고 다른 점을 대비하는 가운데 양쪽의 특성을 모두 살리는 선에서 어떤 합의점을 찾아내는 데 그 목적이 있다. 이 때 문제가 되는 것은 중국어와 한국어의 음운론적 차이가 쉽게 접점을 찾기 어렵다는 점이다. 이로 인해 이제까지 여러 연구자들이 다양한 해결책을 제시했지만, 어느 것이든 모두를 만족시키지 못했고 나아가 이를 둘러싼 다양한 논란이 일었던 것이다.

이 글에서는 이상의 두 가지 논점 가운데 주로 첫 번째 질문에 논

배은한, 「중국어 한글 표기법 개선안 재고」, 『중국어문학연구회 제79회 정기학술발표회논문집』, 중국어문학연구회, 2008.05.

의를 집중할 것이다. 그것은 두 번째 질문에 대해서는 필자가 아니라도 의견을 제시할 사람이 많을 것이기에 굳이 필자까지 나서 또 하나의 혼란을 가중시키지 않을까 저어하는 마음에서이기도 하지만, 필자의 원래 전공 영역이 해당 분야가 아니라는 것이 좀 더 주요한 이유가 될 것이다.

2. '중국어 한글 표기법'에서 'C-K 시스템'이 갖는 의의

지금은 이미 중국학계를 대표하는 대중적인 스타가 되었지만, 김용옥은 여러 가지 면에서 고답적인 수준에 머물러 있던 1980년대의 우리나라 중국학계에 새로운 바람을 넘어서 신선한 충격을 주었던, 당시에는 젊은 학자였다. 이후에 출간한 수많은 저작들도 있지만, 사실 김용옥이라는 세 글자를 사람들의 뇌리에 깊이 새겨놓은 것은 『동양학 어떻게 할 것인가?』[2)]라는 다소 도발적인 제목의 책이었다. 이 책에서 김용옥은 자신의 책의 제목에서 말하는 '동양학'이 무엇을 말하는지에 대해 장황하게 설명하면서 기존의 학계를 통렬히 비판하고 난 뒤 이를 극복하기 위한 방안으로 번역의 중요성을 갈파했다. 하지만 필자가 보기에 이 책이 갖고 있는 의의는 오히려 번역의 중요성을 강조한 데 있지 않고 책의 말미에 부록 비슷하게 덧붙여 놓은 「제5편 최영애-김용옥 표기법 제정에 즈음하여」라는 글에 있다. 이 글에서 김용옥은 주로 서구 학자들의 중국어 표기법인 「웨이드-자일즈 시스템」과 중국의 「병음방안」에 대한 소개와 분석을 진

2) 초판은 김용옥, 『동양학 어떻게 할 것인가』, 서울: 민음사, 1985.

행한 뒤 「최영애-김용옥 시스템」이 만들어지게 된 배경을 설명해 놓았다.

이른바 「C-K. System」으로도 불리는 「최영애-김용옥 시스템」이 갖는 의의는 단순히 "현재까지 연구된 중국어-한글 표기법들 중 1음소 1기호 체계를 가장 완벽히 구현한 유일한 시스템"이라는 데 있지 않고, "중국어의 현실음을 살려 한글로 표기해야 한다는 최초의 주장이자 연구"[3]라는 데 있다. 이 점에 대해 제대로 논의하기 위해서는 앞서 정리한 바 있는 두 가지 질문 가운데 첫 번째 것을 다시 거론할 필요가 있다. 사실 엄밀히 말해서 중국어를 한글로 표기하자는 것은 이 문제를 둘러싼 여러 논의들 가운데 하나일 뿐이고, 현실적으로는 이에 대해 거부감을 갖고 있는 사람들도 여전히 많은 게 사실이다. 이들의 주장은 우리나라는 오랫동안 한자 문화권에 속해왔기 때문에, 근대 이전의 중국 문화는 이미 우리의 소중한 문화유산의 일부가 되어버려 이제 와서 굳이 이것을 구분해 네 것 내 것을 따질 필요가 있겠냐 하는 것으로 요약할 수 있다. 나아가 이런 주장을 펴는 이들 가운데 몇몇은 중국 사람들이 우리를 우리 식으로 불러주지 않는데 형평성의 차원에서 구태여 우리가 먼저 그렇게 해야 할 필요성이 있겠느냐는 생각을 갖고 있다.

이 점과 연관해 김용옥은 자신의 책에서 교수로서의 첫 강의시간에 벌어졌던 다음과 같은 일화를 소개한 바 있다.

---

3) 김희성, 「한국어 滑音을 활용한 중국어 표기법 연구」, 연세대학교 중어중문학과 석사논문, 2008.2. 1쪽 주1)을 참고할 것.

> 나는 분필을 가지고 강단에 올라가자마자 아무 말 않고 칠판에 「道可道, 非常道, 名可名, 非常名」이라고 썼다. 그리고 뒤돌아서서 그것을 「따오커따오 훼이츠앙따오, 밍커밍 훼이츠앙밍」이라고 읽고 「If Tao can be conceptualized in words, it is not the constant Tao. If Name can be named, it is not the constant Name.」이라고 번역해 설을 붙였다. 나의 이러한 행위 속에는 물론 의도적 의식이 도사리고 있기도 한 것이지만 학생들의 뜻밖의 반응에 나는 당황하지 않을 수 없었다. 학생들은 배를 움켜잡고 내 고막이 터져 나가라고 웃어대는 것이었다.[4)]

김용옥은 그 웃음의 의미에 대해 여러 가지로 자기 나름의 해석을 해 놓았다. 하지만 중요한 것은 다음의 언명에 있다.

> 학생들의 웃음의 바탕을 이루고 있는 가장 치명적인 사실은 그들의 의식 속에서 「漢文」이란 他者化되어서는 아니될 그 무엇이며, 반드시 한국말로 발음되어야 할 그 무엇이라는 것이다. 「道可道非常道」는 반드시 「도가도비상도」가 되어야 하며 「따오커따오훼이츠앙따오」가 되어서는 아니될 그 무엇이다. 다시 말해서 孔子는 헤라클레이토스처럼 타자화될 수 없는 나의 것이다. 그러한 의식에 사로잡혀 있으면서, 孔子를 「공자」라고만 생각하면서, 바로 그러한 의식이 민족적이며 주체적이라고만 느끼고 있다. 그리고 더더욱 한심한 사실은 바로 그 폭소가 터졌던 시점이 1982년 9월이라는 것이다.[5)]

사람들은 가끔 지나간 일에 대해 시간적인 혼란anachronism에 빠질 때가 있다. 개구리 올챙이 적 생각 못한다는 게 바로 그 말일

---

4) 김용옥, 앞의 책, 239쪽.

5) 김용옥, 앞의 책, 240~241쪽.

텐데, 요즘의 현실로 보자면 학생들의 웃음은 이해하기 어려운 것일지 모르지만, 김용옥이 말한 1982년이라는 시점을 생각해 볼 때 학생들의 웃음은 당시로서는 지극히 정상적인 반응이 아니었을까? 지금은 누가 중국어 몇 마디 한다고 신기하게 여기지 않고 지하철에 중국인들이 몇 명 타서 자기들끼리 중국어로 대화를 나눈다고 이상한 눈으로 볼 사람이 아무도 없다. 하지만 1980년대만 해도 중국은 우리의 관념의 한계를 벗어나도 한참 벗어난 비현실적인 공간이었다. 그것은 해방 이후 한 동안 우리에게 중국이 "중공"이라는 모호한 명칭으로 불렸던[6] 죽의 장막에 가려진 "적성국가"였기 때문이다. 우리의 기억에 중국, 아니 중공이 우리와 어떤 현실적인 연관을 맺고 하나의 실체로 다가왔던 상징적인 사건은 1982년 5월 5일에 일어난 "중공 민항기 납치 사건"이었다. 당시 상하이를 출발해 선양으로 가던 트라이던트 여객기를 타이완으로 망명하려던 일단의 납치범들이 하이재킹[7]한 이 사건으로 말미암아 우리나라 정부는 해방 후 처음으로 당시 "중공" 정부와 공식적으로 접촉을 했으며, 이 사건의 원만한 해결은 나중에 이루어지는 한중수교에 중요한 디딤돌 역할을 하게 된다. 이 사건으로 우리는 중국을, 중국 사람들은 우리를 현실에서 서로 만나게 되었던 것이다. 김용옥이 자신의 말에 웃음을 터뜨렸던 학생들에 대해 일갈했던 바로 그 시점에 공교롭게도 우리는 중국을 현실 속의 실체로 마주했던 것이다.

---

6) 재미있는 사실은 김용옥도 당시 자신의 책에서 중국을 중공으로 호명하고 있다는 것이다. 이를테면, "제3편 中共學界에 있어서의 中國哲學史記述의 轉換"

7) 당시는 공항에서의 검색이 요즘처럼 철저하지 않아서였던지 무슨 유행처럼 비행기 납치 사건이 빈발했었고, 언론에서는 이것을 꼭 "하이재킹hijacking"이라는 영어 표현으로 불렀다.

3. 우리 중국학 연구의 주체성 확립과 '이름 바로잡기(正名)'

하지만 첫 만남 이후에도 중국이 우리에게 심상한 일상으로 다가오기까지는 여전히 꽤 오랜 시간이 필요했다. 그 사이 우리에게 중국이라는 소리 울림이 가져다 준 이미지는 무엇이었을까? 코미디 프로그램에서 한 남자가 리샤오룽(李小龍) 풍의 분장을 하고 철가방을 들고 등장해 예의 괴성을 지르며 중국어 발음 비슷한 소리(그렇다! 이건 의미 전달을 위한 언어가 아니라 조음기관을 통해 아무 의미 없이 그저 발성되는 '소리'일 뿐[8]이다)를 주절대면, 그 옆에서 도도한 표정을 짓고 있던 한 여자가 우아한 톤으로 역시 말도 안 되는 프랑스어 비슷한 소리를 내뱉고 있다. 이제 와 돌이켜 보면 이것은 단순한 코미디 프로그램이 아니라 우리의 의식 구조를 표상하는 하나의 풍경이었다. 결국 우리 근대사에서 중국어는 오랫동안 희화화의 대상이었을 뿐 이 세상에 존재하는 수많은 외국어 가운데 하나가 아니었다. 그렇게 보자면 그런 희화화의 주체는 다름 아닌 내 안에 뿌리 깊게 자리하고 있는 오리엔탈리즘은 아니었는지 자문해 보게 된다.

결국 우리 안에는 우리 역사 속에서 조공의 대상으로 떠받들어야 했던 대국으로서의 중국의 이미지와 '철가방' 등으로 표상되는 희화화의 대상으로서의 중국의 이미지가 착종되어 있는지도 모를 일이다. 나아가 어찌 보면 이렇듯 상반된 이미지가 뒤섞여 있기 때문에 우리가 중국에 대해 갖고 있는 인식 역시 혼란스러워진 것은 아닌지

8) 그 시절 우리가 알고 있는 중국어(?)는 "찐땅에 장화, 마른 땅에 운뚱화"나 "비단이 장수 왕서방"의 "띵호아" 정도가 아니었을까?

자문하게 된다.

이와 연관하여 필자는 이전에 발표한 글에서 우리 중문학계가 위기 상황에 놓여 있다면 그것은 다름 아닌 우리 중국학 연구의 "주체의식의 부재"에서 비롯된 것일 따름이라고 주장한 바 있다.[9] 이를테면 대국으로서 중국을 떠받들었던 우리의 의식을 "소중화주의"로 개괄한다면, 이러한 소중화주의 탓에 우리의 내면에는 중국의 문화유산을 마치 우리 것인 양 동일시하는 심리가 자리잡고 있었고, 그렇기 때문에 사실상 외국문학의 한 분야로 "중국문학"이라는 명칭 자체가 성립된 것 역시 근대 이후였다는 것이다. 중국 사람의 손에 의해 나온 "중국문학"을 남의 것으로 구분하지 않던 사고방식은 나아가 중국의 문화유산 또한 "이미 우리 것으로 동화되었으니, 굳이 밀어내고 배척할 대상으로 여길 것이 아니라 오히려 자랑스러운 우리 문화유산으로 더욱 발양광대하여 발전시켜 나갈 것을 주장하는" 데까지 이르게 된다.[10] 이것이 앞서 중국어 한글 표기법이 굳이 필요 없다고 주장한 이들의 뇌리에 자리잡고 있는 생각과 그리 먼 것이 아니라고 한다면 지나친 견강부회가 될까?

흔히 서구 근대 철학의 비조로 일컬어지는 데카르트의 형이상학적 사색은 잘 알려진 대로 이른바 '방법적 회의'에서 출발한다. 이것은 "학문에서 확실한 기초를 세우려면, 적어도 조금이라도 불확실한 것은 모두 의심해 보아야 하는데, 세계의 모든 것의 존재를 의심스러운 것으로 치더라도 이런 생각, 즉 의심을 하는 자신의 존재만은

9) 조관희, 「인문학 위기 담론에 대한 비판적 고찰 2-인문학의 위기 인가, 중문학의 위기 인가?」, 『중국어문학론집』 제49호, 서울: 중국어문학연구회. 2008.04..
10) 조관희, 앞의 글, 508~509쪽을 참고할 것.

의심할 수가 없다"[11]는 것으로 귀결된다. 여기서 유명한 "나는 생각한다, 고로 나는 존재한다(cogito, ergo sum)"는 근본원리가 확립되는 것이다. 하지만 데카르트의 이러한 세계 인식은 결국은 인식 대상을 배제한 채 이루어진 이른바 불교에서 말하는 "천상천하, 유아독존(天上天下, 唯我獨尊)" 식의 유아론(唯我論)에 지나지 않는다고 할 수 있다. 이러한 유아론적 논리의 함정은 자기 인식이 즉자적인 데 머물러 한 치도 앞으로 나아갈 수 없다는 데 있다. 곧 나를 인식하고 인정하는 것이 나 자신에 머물러 있을 뿐 나를 대상으로 여기고 인정해주는 타자가 결여되어 있다는 것이다.

이런 즉자적 사고가 어찌 개인적인 차원에만 국한되겠는가? 우리가 논의하고 있는 "중국어 한글 표기법" 문제 또한 이것과 크게 다르지 않은 지도 모른다. 당연한 말이지만 내가 나에 대한 인식을 올바르게 하기 위해서는 내가 내 자신을 인정하는 데카르트의 '코기토', 곧 즉자적 차원에서 벗어나 나와 똑같은 정도로 주체성을 갖고 있는 상대방으로부터도 인정받는 대자적 인식으로 나아가는 헤겔식의 '즉자대자적' 차원에서의 자기 인식이 이루어져야 한다. 달리 말해서 상대를 온전한 개체로 인정하는 바탕 위에서만 나 역시 상대와 동등한 위치에 서는 독립된 개별자가 될 수 있을 뿐이라는 것이다. 그런 까닭에 우리는 일상적 삶에서조차 "부처의 눈에는 부처가 보이고, 돼지의 눈에는 돼지가 보인다"고 말하는 것이다.

이에 필자는 앞서 인용한 글에서 "중국의 근대를 아편전쟁의 처참한 패배 이후 즉자적인 중화주의를 벗어나 세계에 대한 대자적 인식

11) www.naver.com『두산백과사전』.

으로 전환한 것으로 규정하는 주장이 있듯이, 중국에 대한 우리의 인식 역시 이러한 즉자성을 벗어나 중국을 하나의 대상으로 바라보는 인식론적 전환이 필요"[12]하다고 주장한 바 있다. 곧 우리가 중국을 대국으로 떠받들며 '소중화주의'에 빠져 있던 과거는 과거일 뿐이고, 현재 우리의 중국학 연구에서 시급하게 요구되는 것은 중국의 문화유산을 상대화하고 대상화하는 작업이라는 것이다. 이렇게 볼 때 우리의 중국학 연구가 주체성을 확립하는 길은 상대방이 어찌 나오든 나 혼자만의 생각에 빠져 나만의 길을 가겠다는, 앞서 말한 "천상천하, 유아독존" 식의 사고에서 벗어나, 중국학을 다른 외국의 학문과 동등한 위치에서 바라보고 그에 걸맞게 대접하는 일에서 시작하는 것이라 할 수 있다.[13]

이렇게 주체성을 확립하는 일의 중요성에 대해 하이데거는 "우리의 이해를 '본래적 이해'와 '비본래적 이해'로 구분"하면서, "'본래적'이란 '인간이 자기에게 주어진 존재 가능성을 스스로 선택하고 결정하여 그것을 향해 자기를 내던지는 것'을 뜻하고, '비본래적'이란 '자신의 존재 가능성을 자기 자신에게서 찾지 않고 세상 사람들에게서 찾는 것'을 말한다"고 했다. 여기서 한 걸음 더 나아가 하이데거는 "사람이 본래적으로 사는 것을 '실존'이라고 했거니와, 비본래적으로 사는 것은 '퇴락'으로 규정"했다. 하이데거에 의하면 "실존은 진정한

12) 조관희, 앞의 글, 509쪽.

13) "漢文은 한국사람이 한국식 냄새가 물씬나는 식으로 썼든 어쨌든 그것은 절대적으로 외국어이며 古典中國語이며 文言[文]이라고 하는 것이다.……慕華사상에서 이렇게 하자는 것이 아니오, 바로 우리 文明의 독자성을 찾으려는 노력의 첫걸음으로서 漢文을 철저히 外國語化시키고 漢文에 담긴 모든 中國文明의 누적을 철저히 外國文明化시켜야 한다는 뜻이다." (김용옥, 앞의 책, 244쪽.)

자기로 사는 것이고, 퇴락은 진정한 삶을 회피하는 것"이다.[14] 우리가 중국을 대상화하지 않고, 우리 문화를 중국의 문화와 구분하려는 노력을 기울이지 않는다면, 우리의 중국학 연구는 결국 유아론적 수준에 머물고 말아 한 발짝도 앞으로 나아가지 못하고 궁극적으로는 자기 목소리를 내지 못하게 될 것이다.[15]

아울러 필자는 앞서의 글에서 우리 중국학 연구가 "주체의식의 부재"에서 벗어나 이른바 "주체성"을 확립하는 일은 "'이름을 바로잡는 것(正名)'에서 시작해야 한다"고 주장한 바 있다.[16] 소쉬르 이래로 언어를 인간이 조음기관을 통해 발성한 "소리", 곧 "시니피앙"과 그 안에 담겨 있는 "의미", 곧 "시니피에"의 결합으로 보는 것이 일반적인 흐름이었다. 하지만 현실에서는 이 양자의 결합이 종종 어그러지는 경우가 많았으니, 사실상 언어학 이론의 중요한 바탕이 되는 시니피앙과 시니피에의 결합이라는 원칙은 실제로는 실현되기 어려운 난제 가운데 하나인지도 모른다. 이를테면, 흔히 일상에서 "사회정의"와 "애국"이라는 '소리'가 여기저기서 발화되고 있지만, 저마다 떠들어대는 그 "소리"에 담겨 있는 "의미"는 사뭇 다른 것이 그 한 예이다. 그러므로 여기서 말하는 "이름을 바로잡는" 일은 단순히 시니피앙과 시니피에의 결합을 바로잡는 것을 의미하는 게 아니라, 하이데거가 말한 "실존을 향한 '의미 있는' 첫걸음"이 된다. 이렇게 볼 때 중국어를 한글로 표기하는 문제는 단순히 중국어의 성모와 운모를 어떻게 한글의 자음과 모음에 대응시킬 것인가를 고민하는 데 머물

---

14) 자세한 것은 조관희의 앞의 글, 510쪽을 참고할 것.

15) 우리 중문학 연구의 주체성 확립에 대해서는 조관희의 앞의 글을 볼 것.

16) 조관희, 앞의 글, 510쪽을 참고할 것.

지 않으며, 우리의 중국학 연구가 주체성을 확립하고 말 그대로 “실존”을 향해 나아가기 위한 첫 땅띔을 내딛는 것을 의미한다고 볼 수 있다.

4. 결론을 대신하여
–이태백과 리바이, 또는 조관희와 자오콴시

결론적으로 중국 사람의 이름을 중국 사람 방식으로, 곧 원음으로 읽어줘야 한다는 것은 단순히 그들의 입장을 존중해서만이 아니라 내 자신의 주체성을 세우는 일도 된다. 그러므로 ‘공자’는 더 이상 ‘공자’가 아니라 ‘쿵쯔’가 되어야 하며,[17] ‘이태백’과 ‘소동파’ 역시 ‘리바이(李白)’와 ‘쑤스(蘇軾)’가 되어야 한다.[18] 마찬가지 논리로 우리나라 사람의 이름은 우리말 발음 그대로 읽어야 한다. 너무나 당연하게 들리는 이 말이 문제가 되는 것은 우리 이름이 한자식으로 되어 있어 중국 사람들은 자기들 발음대로 우리를 부르기 때문이다.

---

17) “孔子를 「공자」라고 부르던 시대는 지났다. 孔子는 우리의 의식 속에 「콩쯔」로 남아야만 한다. 우리는 문화적으로도 우리의 주권을 행사할 시대에 접어들고 있는 것이다.” (김용옥, 앞의 책, 256쪽.)

18) 우리가 잘 알고 있듯이 ‘이태백’과 ‘소동파’는 그들의 본명이 아니다. ‘태백’은 ‘리바이’의 자이고, ‘동파’는 ‘쑤스’의 호이다. 여기서 굳이 ‘이백’과 ‘소식’이라 부르지 않고 ‘이태백’과 ‘소동파’라 지칭한 것은 이러한 호칭에 담겨 있는 의미가 작지 않기 때문이다. 상대방을 자나 호로 부르는 것은 그에 대한 존경의 표시가 되기도 한다. 중국 사람들이 자기 나라의 유명한 문인을 존경하는 의미에서 자와 호로 부르는 것은 있을 수 있는 일이지만, 우리 같은 외국 사람들이 굳이 중국의 문인을 그들과 같은 방식으로 부를 필요는 없는 것이다. 마찬가지로 ‘주자’ 역시 자연인으로서 ‘주시朱熹’라 불러야 마땅하다는 것이 필자의 생각이다.

이를테면, 필자가 중국에 가서 그곳 사람들을 만나면 누구나 필자를 "조관희"가 아니라 "자오콴시(趙寬熙)"라 부른다. 하지만 고유명사라는 것은 "말 그대로 둘이 아닌 오직 하나뿐인 고유한 존재에 붙이는 이름일진대, '조관희'는 세계 어디에 가더라도 '조관희'일 따름일 뿐, 그 어떤 별도의 독법도 존재하지 않는다.[19] 하지만 유독 중국인들만이 나의 이름을 '자오콴시'라 부르고 있다. 다시 한번 이야기하지만, 더 이상 '서울'이 '한청(漢城)'이 아닌 '서우얼(首爾)'이듯, 나의 이름도 '자오콴시'가 아닌 '조관희'일 따름이다."[20]

아울러 현실적으로 이 문제의 해결을 어렵게 하는 것은 우리의 입장이 일관되지 못한 데 있기도 하다. 우리는 글을 쓰거나 중국 책을 번역할 때 인명이나 지명과 같은 고유명사를 근대 이전에는 한자음으로 근대 이후에는 원음으로 읽는 절충적인 태도를 취하고 있다. 그것은 근대 이전의 고유명사는 한자음으로 읽는 데 익숙하지만 근대 이후의 그것은 그렇지 않기 때문이다. 하지만 이런 절충적인 태도가 갖고 있는 문제점은 쉽게 드러난다. 이를테면 근대 이전과 이후라고 했지만, 이 "근대"라는 말의 함의가 얼마나 모호하고 시기를 획분하기 어려운 것인가 하는 문제는 차치하고라도 한 사람의 일생이 그 사이에 걸쳐 있다면 그를 근대 이전으로 보아야 할지 그렇지 않으면 그 이후로 보아야 할지 애매한 경우가 생긴다. 잠정적으로

19) 필자가 안식년으로 미국에 머물 때, 주위 사람들은 필자를 그저 "콴"으로 불렀다. 그것은 자신들의 이름을 줄이거나 바꿔서 애칭으로 부르는 그들의 관습에 따른 것이다. 이것 역시 이제까지 이야기했던 주체적인 입장에서 바라보면 문제가 있는 것 아니냐는 측면에서 중국 사람들이 자기들 식으로 읽는 것과 뭐가 다른가 하는 비판을 살 수도 있다. 하지만 이름자를 줄여 부르는 것과 아예 자기들 식으로 달리 발음하는 것은 다른 차원의 문제라 할 수 있다.

20) 조관희, 앞의 글, 511쪽.

근대를 1911년의 신해혁명으로 본다면, 1911년 이전의 '胡適'은 '호적'이라 부르고, 1911년 이후의 '胡適'는 '후스'라 불러야 하는가?

이것만으로도 중국어를 한글로 표기할 때 근대 이전과 이후를 구분하는 것은 절대 해결책이 될 수 없다는 것을 쉽게 알 수 있다. 여기서 우리는 언어라는 게 결국은 사람들의 약속에 불과하다는 것을 상기할 필요가 있다. 서구에서는 아리스토텔레스 이래로 언어는 하나의 계약이라는 주장이 이어져오고 있고, 중국에서도 유명한 쉰쯔(荀子)의 "말이라는 것은 사람들끼리 약속을 해서 정해지면 두루 받아들여 쓰다 확정되는 것(約定俗成)"이라는 언명이 있다. 아울러 언어 자체와 언어를 바라보는 관점은 어느 한 순간 고정된 것이 아니라 통시적인 입장에서 볼 때 끊임없이 변하는 것이기도 하다. 문제는 사람들은 누구나 자기가 익숙한 것에서 좀체 벗어나려 하지 않는 속성을 갖고 있는데, 이것이 인지상정이라면 결국 문제는 한 군데 머물러 있으려고 하는 사람들의 관성적인 태도와 끊임없이 변해 가는 언어에 대한 인식 사이의 괴리에 있다 하겠다. 필자는 그러한 괴리가 근대 이전과 이후를 나누는 어정쩡한 태도로 발현된 것은 아닌가 생각한다.

결국 이상의 문제에 대한 해결책은 우리가 모든 것은 변한다는 것을 받아들이는 데서 찾을 수 있지 않을까? 그러한 변화의 한 사례로 우리는 모택동에서 등소평 또는 덩샤오핑을 거쳐 쟝쩌민과 후진타오에 이르는 하나의 흐름을 들 수 있다. 우리가 잘 알고 있는 대로 '毛澤東'은 '마오쩌둥'이라는 명칭보다는 '모택동' 쪽이 더 친숙한데 반해, '鄧小平'의 경우는 '등소평'이나 '덩샤오핑' 모두 익숙하다. '江澤民'의 경우도 '鄧小平'과 비슷하다고 할 수 있는데, '胡錦濤'에 이르면 상황은 그 이전과 판이하게 달라진다. 이미 '胡錦濤'는 '후진타오'가 익숙하지 '호금도'라는 '소리'는 아주 낯설게 들리는 것이다. 여기서 한 가지 확인할 수 있는 것은 우리가 원음주의를 따를 것인가 하는 것을 두고 갑론을박하는 사이에 현실은 이미 원음 그대로 읽는 것이 하나의 대세로 굳어가고 있다는 것이다.

언어학 연구에서 하나의 이상으로서 랑그langue를 추구하는 처방적prescriptive 또는 규범적normative 입장과 현실음이라 할 빠롤parole을 중시하는 기술적descriptive 입장은 영원히 길항관계에 놓여 있기는 하지만, 결국 언어학자들은 언중들의 실제 언어 행위를 우선적으로 고려해야 한다는 의미에서 '기술적' 입장이 선행된다는 데 의견을 같이 한다. 앞서의 '모택동'에서 '후진타오'까지의 사례가 통시적인 입장에서 하나의 일정한 흐름을 반영하는 것이라면, 언중들은 이미 기술적인 측면에서 원음주의로 돌아섰다고도 볼 수 있다. 그리고 현재 실제로 낮은 연령층에서는 원음주의를 아무런 거부감 없이 받아들이고 있다. 그런 의미에서 문제가 되는 것은 근대 이전과 이후에 걸쳐 있는 사람들처럼 '등소평'과 '덩샤오핑'이라는 발음 모두에 길들여져 있는 특정 세대가 갖고 있는 거부감인지도 모른다. 이 점과 연관해 엄익상은 2008년 5월의 학술발표회 석상에서 의미 있는 발언을 한 바 있다. 엄익상은 중국어 고유명사를 원음으로 읽어야 하는가 하는 문제는 결국 우리 세대의 문제일 뿐이라고 일축하며, 일종의 "끼인" 세대에 해당하는 우리 세대[21]가 희생을 해야 한다

21) 엄익상은 여기서 말하는 "우리 세대"라는 것이 구체적으로 어느 시기를 지칭하는 것이라고 분명하게 밝히지는 않았다. 하지만 이제까지의 추세로 볼 때, 중국어에 직접 노출된 경험이 그리 오래지 않다는 의미에서 대개 1990년대 초중반 학번까지의 세대를 이렇게 부를 수 있지 않을까 하는 게 필자의 생각이다.

고 주장했다.

사람들은 누구나 자기중심적으로 사고하고 자기만의 시각으로 세계를 해석하려는 경향을 갖고 있다. 하지만 앞서도 이야기했듯이 세계는 또 한 사람의 주관적인 해석과 판단을 넘어서, 또는 무관하게 그 나름의 논리에 따라 끊임없이 변하고 있는 것도 사실이다. 아큐는 혁명에 대한 이야기를 전해 듣고 자기 혼자 공상의 나래를 펼치다 잠이 든다.

> 다음날 그는 꽤 느지막하게 일어났다. 길거리에 나가 보아도 모든 것이 전과 같았다.[22)]

『중국어문학론집』 제58호, 서울: 중국어문학연구회, 2009.10.

22) 루쉰(김시준 역), 「아큐정전」, 『노신소설전집』, 한겨레, 1986. 136쪽.

이 책을 쓰면서 참고한 글들

C. 카아터 콜웰, 『문학개론』, 을유문화사, 1973.

F. 웹스터(조동기 역), 『정보사회이론』, 서울: 사회비평사, 1997.

Stock, J. et. al. 98. Delphi Survey 1996/1998: The Potential and Dimensions of Knowledge-based Society and Its Effects on Educational Processes and Structures: Combined Final Report. Federal Ministry of Education, Science, *Research and Technology*. p.8.

V. Cook, "Going beyond the native speadker in language teaching", *TESOL Quaterly* 33, 1999.

www.naver.com 『두산백과사전』

「[세계초대석]원로학자 유종호에게 듣는다-인문학 왜 위기인가 초고속 산업화 과정서 인간본질 탐구 외면」, 『세계일보』, 2006년 9월 29일.

「[특집 좌담] 老지성들에게 듣는다, 인문학의 길을……, 물질의 범람 속 잃어버린 '인간의 가치' 다시 찾아야」, 『한국일보』, 2006년 9월 20일.

「신지식인 보고서, 부가가치창출의 핵심은 '방법지'」, 『매일경제신문』, 1998. 12. 03.

「인문학 위기 엇갈린 시선」, 『국민일보 쿠키뉴스』, 2006년 9월 26일.

「인문학의 위기, 이념 과잉에 생산성 상실 '불임 학문'으로」, 『동아일보』 2006년 9월 19일.

『컴퓨터용어사전』, 서울: 영진출판사, 1997.

갑술 본(甲戌本) 『홍루몽평(紅樓夢評)』 「범례(凡例)」, 『홍루몽자료회편(紅樓夢資料匯編)』, 톈진(天津): 난카이대학출판사(南開大學出版社), 1983.

강신익, 「비인문학적 인문학과 비과학적 과학」, 『교수신문』, 2006년 10월 11일.

강윤중, 「인문학 이제 '골방'서 뛰쳐나와 '실용'을 접목하라」, 『경향신문』, 2006년 9월 25일

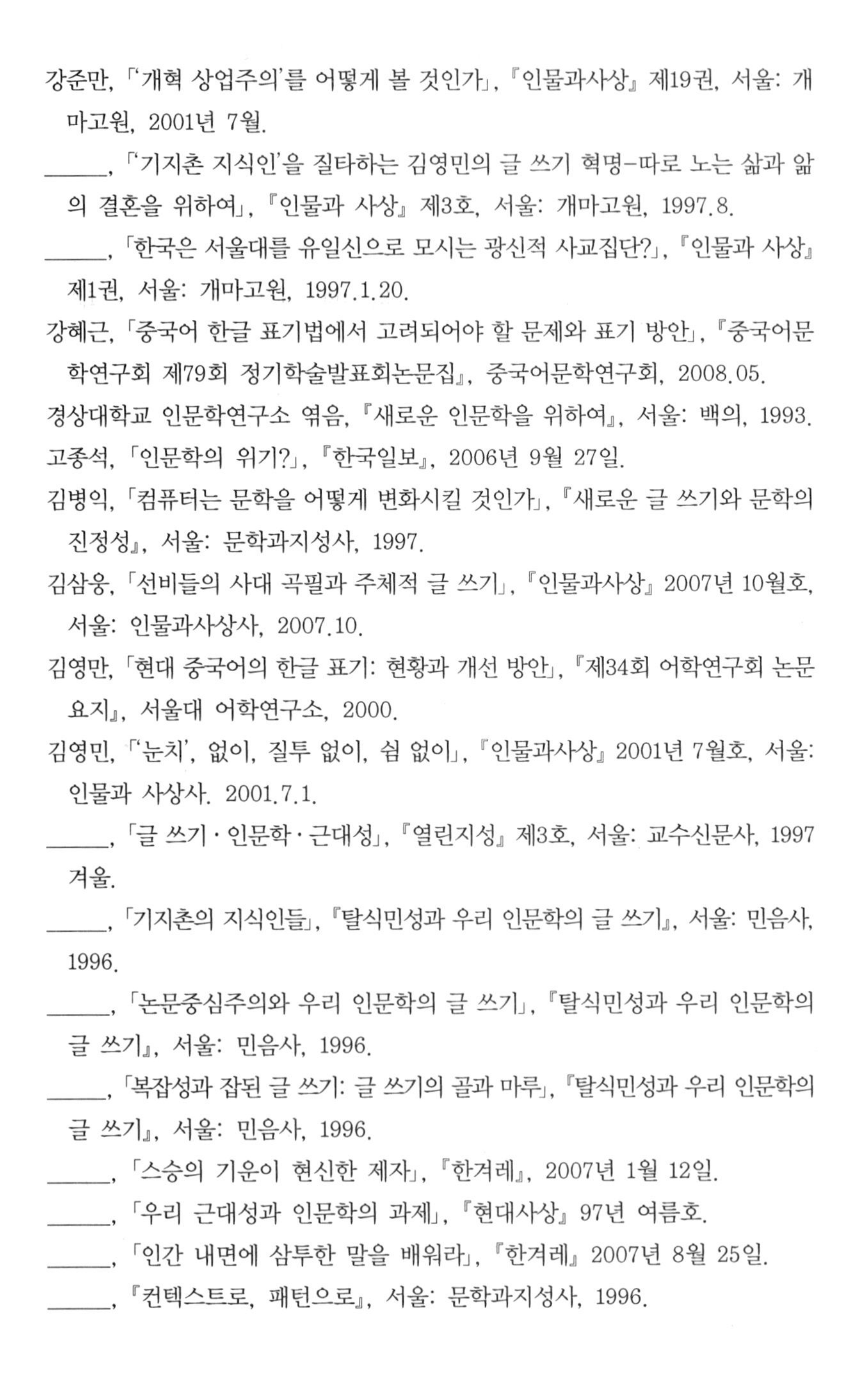

강준만, 「'개혁 상업주의'를 어떻게 볼 것인가」, 『인물과사상』 제19권, 서울: 개마고원, 2001년 7월.

_____, 「'기지촌 지식인'을 질타하는 김영민의 글 쓰기 혁명-따로 노는 삶과 앎의 결혼을 위하여」, 『인물과 사상』 제3호, 서울: 개마고원, 1997.8.

_____, 「한국은 서울대를 유일신으로 모시는 광신적 사교집단?」, 『인물과 사상』 제1권, 서울: 개마고원, 1997.1.20.

강혜근, 「중국어 한글 표기법에서 고려되어야 할 문제와 표기 방안」, 『중국어문학연구회 제79회 정기학술발표회논문집』, 중국어문학연구회, 2008.05.

경상대학교 인문학연구소 엮음, 『새로운 인문학을 위하여』, 서울: 백의, 1993.

고종석, 「인문학의 위기?」, 『한국일보』, 2006년 9월 27일.

김병익, 「컴퓨터는 문학을 어떻게 변화시킬 것인가」, 『새로운 글 쓰기와 문학의 진정성』, 서울: 문학과지성사, 1997.

김삼웅, 「선비들의 사대 곡필과 주체적 글 쓰기」, 『인물과사상』 2007년 10월호, 서울: 인물과사상사, 2007.10.

김영만, 「현대 중국어의 한글 표기: 현황과 개선 방안」, 『제34회 어학연구회 논문요지』, 서울대 어학연구소, 2000.

김영민, 「'눈치', 없이, 질투 없이, 쉼 없이」, 『인물과사상』 2001년 7월호, 서울: 인물과 사상사. 2001.7.1.

_____, 「글 쓰기 · 인문학 · 근대성」, 『열린지성』 제3호, 서울: 교수신문사, 1997 겨울.

_____, 「기지촌의 지식인들」, 『탈식민성과 우리 인문학의 글 쓰기』, 서울: 민음사, 1996.

_____, 「논문중심주의와 우리 인문학의 글 쓰기」, 『탈식민성과 우리 인문학의 글 쓰기』, 서울: 민음사, 1996.

_____, 「복잡성과 잡된 글 쓰기: 글 쓰기의 골과 마루」, 『탈식민성과 우리 인문학의 글 쓰기』, 서울: 민음사, 1996.

_____, 「스승의 기운이 현신한 제자」, 『한겨레』, 2007년 1월 12일.

_____, 「우리 근대성과 인문학의 과제」, 『현대사상』 97년 여름호.

_____, 「인간 내면에 삼투한 말을 배워라」, 『한겨레』 2007년 8월 25일.

_____, 『컨텍스트로, 패턴으로』, 서울: 문학과지성사, 1996.

김용규, 「'돈키호테'를 통해서 본 '세계'의 의미(2)」, 『한겨레』, 2008년 2월 2일.
김용석, 「'인문학 위기 증후군'에 대하여」, 월간 『인물과사상』 2007년 2월호. 인물과 사상사.
김용옥, 「철학의 사회성」, 『도올논문집』, 서울: 통나무, 1991.
______, 『여자란 무엇인가』, 서울: 통나무, 1986.
______, 최영애, 「최영애 김용옥 표기법 제정에 즈음하여」, 『동양학 어떻게 할 것인가』, 서울: 민음사, 1985.
김정근 엮음, 『학술연구에서 글 쓰기의 혁신은 가능한가』, 한울아카데미, 1996.
______, 「문헌정보학 연구에서 '실천적' 글 쓰기란 무엇인가」, 『열린지성』 제3호, 서울: 교수신문사, 1997 겨울.
김진경, 「美-유럽 대학의 인문학 교육 실태는……」, 『동아일보』, 2006년 9월 27일.
김진만, 「영어 교육에 대한 몇 가지 사견」, 윤지관, 『영어 내 마음의 식민주의』, 당대, 2007.
김태성, 「중국어 한글 표기법에 관하여」, 『중어중문학』 27집, 2000.
김태식, 「자기성찰 부족한 '인문학선언'」, 『연합뉴스』, 2006년 9월 25일.
김헌식, 「인문학의 위기는 없다」, 『데일리안』, 2006년 9월 22일.
김희성, 「한국어 활음(滑音)을 활용한 중국어 표기법 연구」, 『중국어문학연구회 제79회 정기학술발표회논문집』, 중국어문학연구회, 2008.05.
______, 「한국어 활음(滑音)을 활용한 중국어 표기법 연구」, 연세대학교 중어중문학과 석사논문, 2008.2.
남영신, 『문장비평-글 쓰기 잘하는 민족을 위한 시론』, 서울: 한마당, 2000년.
남진우, 「콩 세는 사람들과 인문학의 위기」, 『한국일보』, 2006년 9월 29일.
노르베르트 볼츠(윤종석 옮김), 『구텐베르크-은하계의 끝에서』, 서울: 문학과지성사, 2000.
루쉰(김시준 역), 「아큐정전」, 『노신소설전집』, 한겨레, 1986.
뤼디거 슈미트, 코르드 슈프레켈젠(김미기 옮김), 『쉽게 읽는 니이체, 짜라투스트라는 이렇게 말했다』, 이학사, 2005.
맹주억, 「중국어 교육용 한글 표음 방안」, 『디지털 세대를 위한 중국어 교육』(한국중국언어학회, 한국중등중국어교육연구회, 한국중국어교육학회 연합 학술발표회 논문집), 2000.

______, 「한어교학시소아과(漢語教學是小兒科)」, 『중국어교육과 연구』 창간호, 한국중국어교육학회, 2005.8.
박경미, 「지식인과 염치」, 『녹색평론』 91호, 녹색평론사, 2006년 11월 14일.
박용진, 「중국어 교육 분야에 대한 제 문제 토론」, 『2005년도 중어중문학 연합학술대회 중어중문학 교육의 이론과 실제 발표논문집』
박재연, 「『홍백화전(紅白花傳)』은 중국소설이 아니다」, 『중국소설연구회보』 제9호, 한국중국소설학회, 1992년 3월.
박정신, 「인문학 안팎의 '경제주의'」, 『경향신문』, 2006년 09월 29일.
______, 「인문학 위기 아닌 학자의 위기」, 『경향신문』, 2006년 9월 26일.
박찬길, 「500 단어의 유창한 영어 실력과 어느 아랍 외교관의 차이」, 윤지관, 『영어 내 마음의 식민주의』, 당대, 2007.
박홍석, 「학회 및 사회단체의 지식관리 현황과 지식공유를 위한 방안」, 『민간주도 지식공유시스템 모색과 지식대국의 길』 정책 세미나 발표 자료, 사단법인 새문명아카데미 부설 한국지식공유센터, 1999.10.29.
배두본, 『외국어 교육 과정론』, 한국문화사, 2000.
배은한, 「중국어 한글 표기법 개선안 재고」, 『중국어문학연구회 제79회 정기학술발표회논문집』, 중국어문학연구회, 2008.05.
배재석, 「Cyber 상의 중국어 표기법 연구」, 『중국어문학논집』 19호, 2002
빌렘 플루서(윤종석 역), 『디지털 시대의 글 쓰기』, 서울: 문예출판사, 1998.
서미령, 「중국어의 실용적인 한글 표기법 소고」, 『중국어문학연구회 제79회 정기학술발표회논문집』, 중국어문학연구회, 2008.05.
송승철, 「영어: 근대화, 공동체, 이데올로기」, 윤지관 편, 『영어, 내 마음의 식민주의』, 당대, 2007.
스티브 모리스·존 미드·닐 스벤슨(미래와 사회 옮김), 『정보시대와 지식관리』, 서울: 시유시, 2000.
신광현, 「대학의 담론으로서의 논문-형식의 합리성에 대한 비판」, 『열린지성』 제3호, 서울: 교수신문사, 1997 겨울.
신아사, 「중국어 한글 표기법에 대하여 운모 부분을 중심으로」, 『중국어문학연구회 제79회 정기학술발표회논문집』, 중국어문학연구회, 2008.05.
심소희, 「한글-중국어 병음 체계의 연구」, 『한글』 245호, 1999.

쓰쓰이 야스타카, 『다다노 교수의 반란』, 서울: 문학사상사, 1996.
엄익상 외, 『중국어 교육 어떻게 할까』, 한국문화사, 2005.
엄익상, 「왜 다시 중국어 한글 표기법인가?」, 한국중국언어학회 학술발표회, 2003
______, 「중국어 한글 표기법 재수정안」, 『중어중문학』 31집, 2002.
______, 「중국어 한글 표기법의 문제점과 개선 방안」, 『중국언어연구』 제4집, 1996.
______, 「현행중국어 표기법을 바꾸어야 할 이유」, 『중국어문학연구회 제79회 정기학술발표회논문집』, 중국어문학연구회, 2008.05.
오창은, 「지식의 식민화와 학문의 돌파구 사이에서」, 『모색』 2, 서울: 갈무리, 2001.9.5.
오태석, 『중국문학의 인식과 지평』, 서울: 도서출판역락, 2001.
우석훈·박권일, 『88만원 세대』, 서울: 레디앙, 2007.
움베르토 에코(이필렬 옮김), 『논문 어떻게 쓸 것인가』, 서울: 이론과실천, 1991.
움베르토 에코, 『글 쓰기의 유혹』, 서울: 새물결, 1994.
원종민, 「대만 민남어의 한글 표음방안」, 『중국언어연구』 13집, 2001.
월터 옹(이기우·임명진 역), 『구술문화와 문자문화』, 문예출판사, 1995.
윤노빈, 『신생철학』, 서울: 학민사, 1989.
윤지관, 『영어 내 마음의 식민주의』, 당대, 2007.
이영미, 「창의성 없는 지적 생산물과 관용」, 『한겨레』 2007년 1월 16일.
이왕주, 「천년의 틈새」, 『현대사상』 제10호(2000년 봄).
이용준, 『디지털 혁명과 인쇄매체』, 서울: 커뮤니케이션북스, 1999.
이원태, 「폴리페서 신드롬」, 『정치비평』 창간호, 1996.
이종민, 『글로벌 차이나』, 부산: 산지니, 2007.
이철재·권근영, 「추락하는 인문학, 세상변화 못 읽었다」, 『중앙일보』, 2006년 9월 26일)
이필렬, 「과학의 민주적 통제를 위하여」, 『녹색평론』 제37호, 대구: 녹색평론사, 1997.11.
임동석, 「중국어(漢語) 한글 표기의 실제와 문제점 연구」, 『중국어문학논집』 13호, 2000.

임상우, 「비판적 지성과 책임의 윤리」, 『문학과 사회』, 94년 겨울호.
임성훈, 「인문학과 대중화」, 월간 『인물과사상』 2006년 11월호. 인물과 사상사.
임춘성, 「한국에서의 중국 근현대문학 연구의 현황과 과제」, 제17차 중국학 국제학술대회 『발표론문요지』, 서울: 한국중국학회, 1997.8.
자오셴저우(趙賢州)(박영록 역), 「제 2언어 교학과 사회문화」, 『중국어 교육과 학습』, 청년사, 1992.
장영백, 「「국풍」에 나타난 우환의식 초탐」, 『중국어문학논집』 제26호, 중국어문학연구회, 2004.02.
_____, 「「대아」에 나타난 우환의식 초탐」, 『중국어문학논집』 제29호, 중국어문학연구회, 2004.11.
_____, 「「소아 절남산지십」에 나타난 우환의식 초탐」, 『중국어문학논집』 제27호, 중국어문학연구회, 2004.05.
_____, 「「소아」에 나타난 우환의식 초탐」, 『중국어문학논집』 제28호, 중국어문학연구회, 2004.08.
_____, 「고대 중국 지식계층의 우환의식 - 주역의 우환의식을 중심으로」, 『비평』 제11호, 생각의 나무, 2003.06.
_____, 「고대 중국인의 '우환의식' 연구」, 『중국어문학논집』 제25호, 중국어문학연구회, 2003.11.
장호득, 「중국어 한글 표기법의 원칙과 한계」, 『중국어문논역총간』 11집, 2003.
전광진, 「중국어 자음의 한글 표기법에 대한 음성학적 대비 분석」, 『중국문학연구』 19집, 1999.
전봉관, 「"이 녀석아 진리가 변하냐?"」, 『한국일보』, 2006년 9월 26일.
정수복, 「무엇을 할 것인가: 비판적 지식인과 대안적 사회 발전모델」, 『현대사상』 제5호(1998년 여름).
정진홍, 『아톰@비트』, 서울: 푸른숲, 2000.
정철흠, 「기업 및 대학의 지식관리 현황과 지식 공유를 위한 방안」, 『민간주도 지식공유시스템 모색과 지식대국의 길』 정책 세미나 발표 자료, 사단법인 새문명아카데미 부설 한국지식공유센터, 1999.10.29.
조관희, 「인문학 위기 담론에 대한 비판적 고찰 2-인문학의 위기인가, 중문학의 위기인가?」, 중국어문학론집 제49호, 서울: 중국어문학연구회. 2008.04.

조관희, 「중국소설의 본질과 중국소설사의 유형론적 기술에 대하여」, 『중국어문학론집』 제9집, 1997.

_____, 「한국에서의 중국소설 연구(1)徐敬浩의 소설론을 중심으로」, 『중국소설논총』 제15집, 서울: 한국중국소설학회, 2002.2.

_____, 「한국에서의 중국소설 연구(2)」, 『중국소설논총』 제17집, 서울: 한국중국소설학회, 2003.3.

_____, 「한국에서의 중국소설 硏究-해방 이후에서 현재까지(1945~1997)」, 『중국소설논총』 제7집, 서울: 한국중국소설학회, 1998.3.

조동일, 『이 땅에서 학문하기-새 천년을 맞이하는 진통과 각오』, 서울: 지식산업사, 2000.

_____, 『인문학문의 사명』, 서울: 서울대학교 출판부, 1997.

조성환, 『한국의 중국어문학연구가 사전』, 서울: 도서출판 시놀로지, 2000.

조혜정, 「문화적 자생력 기르기」, 『열린지성』 제3호, 1997 겨울.

조희연, 「지적 '식민화'에 대한 비판적 성찰 시도」, 『우리 학문 속의 미국』, 서울: 한울아카데미, 2003.

진용옥, 『봉화에서 텔레파시까지』, 서울: 지성사, 1996.

최용철, 「소설연구의 방향설정을 위한 공동의 노력-중국소설연구회의 어제와 오늘」, 『중국소설연구회보』 제21호, 서울: 중국소설연구회, 1995년 3월.

_____, 「한국에서 중국소설연구의 현황과 과제」, 제17차 중국학 국제학술대회 『발표론문요지』, 서울: 한국중국학회, 1997.8.22-23.

_____, 「한국의 중국고전소설 연구개황」, 『중국소설연구회보』 제14호, 서울: 중국소설연구회, 1993.6.

최혜실 엮음, 『디지털시대의 문화 예술』, 서울: 문학과지성사, 1999.

테드 알렌, 시드니 고든, 『닥터 노먼 베쑨』, 서울: 실천문학사, 1991.

하워드 S. 베커(이성용, 이철우 옮김), 『사회과학자의 글 쓰기』, 서울: 일신사, 1999.

하이데거, 『존재와 시간』, 까치, 1998.

학술단체협의회 편, 『한국 인문사회과학의 현재와 미래』, 서울: 푸른숲, 1998.

한학성, 『영어 공용어화, 과연 가능한가』, 서울: 책세상, 2000.

_____, 『영어 교육, 어떻게 할 것인가?』, 서울: 태학사, 1998.

허세욱, 『중국고대문학사』, 서울: 법문사, 1986.
현규섭, 『정보사회와 지식이데올로기』, 서울: 인폼아트, 2000.
홍상훈, 「해방 이후 50년의 성과와 문제점-중국 고대소설 연구를 중심으로」, 『동아문화』 제34집, 서울: 동아문화연구소, 1997.
홍성태, 『사이버사회의 문화와 정치』, 문화과학사, 2000.
홍세화, 「[시민편집인칼럼] 인문학의 위기……」, 『한겨레』, 2006년 9월 26일.
황지우 · 지승호, 「인터뷰: 황지우 한국예술종합학교 총장 | 천박한 시대에 묻는 한국문학」, 월간 『인물과사상』 2006년 11월호.

찾아보기

기타

조관희
trotzdem@sinology.org

지은이 조관희(趙寬熙, Cho Kwan-hee)는 서울에서 나고 자랐다. 연세대학교 중어중문학과를 졸업하고, 같은 학교에서 석사와 박사학위를 받았다(문학박사). 1994년부터 상명대학교에서 학생들을 가르치고 있다(교수). 한국중국소설학회 회장을 역임했다. 주요 저작으로는 『소설로 읽는 중국사 1, 2』(돌베개, 2013), 『교토, 천년의 시간을 걷다』(컬쳐그라퍼, 2012), 『조관희 교수의 중국사 강의』(궁리, 2011), 『조관희 교수의 중국현대사 강의』(궁리, 2013) 등이 있고, 루쉰(魯迅)의 『중국소설사(中國小說史)』(소명, 2005)와 데이비드 롤스톤(David Rolston)의 『중국 고대소설과 소설 평점』(소명출판, 2009)을 비롯한 몇 권의 역서가 있으며, 다수의 연구 논문이 있다. 지은이에 대한 상세한 정보는 홈페이지(www.sinology.org/trotzdem)로 가면 얻을 수 있다.

글쓰기와 중국어문학 연구의 주체성

2014년 2월 21일 초판 1쇄 펴냄

지은이 조관희
펴낸이 김흥국
펴낸곳 도서출판 보고사

책임편집 이경민
표지디자인 윤인희

등록 1990년 12월 13일 제6-0429호
주소 서울특별시 성북구 보문동7가 11번지 2층
전화 922-5120~1(편집), 922-2246(영업)
팩스 922-6990
메일 kanapub3@naver.com
http://www.bogosabooks.co.kr

ISBN 979-11-5516-203-3 93820

정가 13,000원

이 도서의 국립중앙도서관 출판시도서목록(CIP)은 서지정보유통지원시스템 홈페이지(http://seoji.nl.go.kr)와 국가자료공동목록시스템(http://www.nl.go.kr/kolisnet)에서 이용하실 수 있습니다. (CIP제어번호: CIP2014003256)